S0-BHY-324

Hartmut Gustav Blersch

DIE SÄULE IM WELTGEVIERT

SOPHIA

QUELLEN ÖSTLICHER THEOLOGIE

Herausgegeben von Julius Tyciak (+) und Wilhelm Nyssen

Band 17

Hartmut Gustav Blersch

Die Säule im Weltgeviert

Der Aufstieg Simeons, des ersten Säulenheiligen

PAULINUS — VERLAG TRIER

1978

HARTMUT GUSTAV BLERSCH

DIE SÄULE IM WELTGEVIERT

Der Aufstieg Simeons, des ersten Säulenheiligen

PAULINUS — VERLAG TRIER

1978

CIP-Kurztitelaufnahme der Deutschen Bibliothek

Blersch, Hartmut Gustav
Die Säule im Weltgeviert:
Aufstieg Simeons, d. 1. Säulenheiligen. - 1. Aufl.
Trier: Paulinus-Verlag, 1977
(Sophia; Bd. 17)
ISBN 3-7902-1447-7

Gesamtherstellung: Luthe-Druck, Köln
ISBN 3-7902-1447-7

IN MEMORIAM
REV. D. D. JOANNIS ROY
ABBATIS
NUPER EX URBE MARTYRII
FESTOQUE SANCTI LINI
PETRI E MANIBUS
CLAVES GERENTIS
COELESTIUM AD AGMINA
RAPTI
FRATRIBUS
SANCTAE MARIAE VIRGINIS
FONTIS GOMBAUDI
EREMUM COLENTIBUS
PLANCTU VALIDO
ORBITATIS CONSORS
DEVOTE SACRUM.

Vorwort

Simeon der Säulensteher ist noch heute seit der Schmach, die ihm die Gelehrsamkeit des 19. Jh. antat, bei Gebildeten und Ungebildeten verachtet, wenn nicht verschrien. Der Weg seines Lebens wird als asketischer Hochmut bezeichnet, und es ist seltsam, daß heute Staatsmänner wie Theologen entschuldigend von sich sagen können: „Wir sind doch schließlich keine Säulensteher."

In diesem Buche geht es darum, die dem Spott ausgelieferte Gestalt Simeons durch einfachste Nachzeichnung seines Lebens und durch angestrengtes und genaues Erhorchen seiner Quellen wieder ans Licht zu heben. Die aus dem Syrischen neu übersetzte Lobrede des Jakob von Sarug auf Simeon wird zum Schlußstein einer Arbeit, die sich die präzise Betrachtungsweise der frühen Texte niemals durch literarkritische Schemata verharmlosen läßt.

Das Bestürzende dieses Lebens, das in all seinen Stationen der Härte und des Erkennens tiefer und tiefer aufleuchtet, besteht zuletzt darin, daß man einen Heiligen, einen von Gott begnadeten Menschen erblickt, der mit äußerster Hinwendung an den göttlichen Ruf täglich die Todesgrenze des irdischen Lebens betend aushält und damit ein Bild jener Buchstäblichkeit von Nachfolge sichtbar macht, die nur selten im Ablauf der Geschichte als göttliche Berufung ohne jede Überheblichkeit von Menschen verwirklicht werden durfte.

Wer so nahe an die Grenze des irdischen Daseins gelangen konnte, daß er sie ein ganzes Leben hindurch aushielt, der ist auch in der Lage gewesen, alle irdischen Verflechtungen zu durchschauen und jedem, der zu ihm kam, das befreiende Wort zu erteilen.

Die Bedeutung dieses Buches liegt in seiner geistlichen Genauigkeit. Man hält den Atem an, wenn man verspürt, daß seine Worte auf Identifikation zielen. Es könnte sein, daß diese Form der Darstellung heute einen neuen Weg theologischer Überlegung begründet, der seit langem nicht mehr begangen wurde, umso heftiger aber von vielen ersehnt wird.

Wilhelm Nyssen

Inhaltsverzeichnis

Das Wagnis Simeons

Den Sieger werde ich zu einer Säule im Heiligtum meines Gottes machen, und er soll nicht mehr daraus entfernt werden. Ich werde den Namen meines Gottes darauf schreiben und den Namen der Stadt meines Gottes, des neuen Jerusalem, das von den Himmeln von meinem Gott niedersteigt, und meinen neuen Namen. (Apok. 3,12)

„Simeon, den allbekannten, das große Wunder des Erdkreises, kennen nicht nur alle Untertanen des römischen Reiches, sondern auch die Perser, die Inder und die Äthiopier haben Kenntnis von ihm, ja sogar bis zu den skythischen [1]) Nomaden hin lehrte der schnell verbreitete Ruf dessen Ausdauer und Hingabe an die Weisheit (Philosophia [2])). Obwohl ich zwar sozusagen alle Menschen als Zeugen der unsagbaren Kämpfe habe, scheue ich mich vor dem Bericht, denn er soll für die Zukünftigen nicht den Anschein erwecken, er sei eine von jeglichem Wahrheitsgehalt entblößte Fabel. Das Geschehene übersteigt nämlich die menschliche Natur. Die Menschen aber lieben das Berichtete an der Natur zu messen. Wenn aber etwas, was jenseits der Grenzen derselben liegt, berichtet wird, wird von denjenigen, die in die göttlichen Dinge nicht eingeweiht sind, das Gesagte als falsch verurteilt. Nachdem nun aber Erde und Meer mit Gottesfürchtigen angefüllt sind, die, nachdem sie in die göttlichen Dinge eingewiesen sind und die Gnade des allerheiligsten Geistes empfangen haben, dem, was vorgetragen wird, nicht nur nicht glauben, sondern in besonderer Weise Glauben schenken werden, so will ich meinen Bericht bereitwillig und getrost zusammenstellen."

Theodoret, der als Bischof von Kyrrhos im Norden Syriens Simeon am Ort seines Wirkens aufgesucht hat, beginnt mit diesen Worten das 26. Kapitel seiner Mönchsgeschichte [3]), in dem er das Leben des ersten Säulenheiligen beschreibt. In einem auffallenden Kontrast steht dabei das Staunen der christlich gewordenen Oikumene des 5. Jahrhunderts zu dem Zögern, mit dem die Lebensbeschreibung des Heiligen begonnen wird. Dies aber zeigt, daß Theodoret als einer der bedeutendsten Theologen des Ostens zu seiner Zeit den schmalen Pfad genau kannte, auf dem sich die Hagiographie bewegen muß [4]). So wie das Leben eines Heiligen sich nicht selbst ins Licht setzen will, vielmehr seine Taten stete Wegnahmen und Selbstverwundungen sind, die die umfassende Liebe des Schöpfers und Erlösers aufzuspüren versuchen, so müssen auch die Fakten, die aus diesem Leben berichtet werden, Spuren und Kerbungen gleichen, die zu diesem hinter ihnen aufleuchtenden Sinn hinführen. Gerade die Berühmtheit Simeons, seine übermenschliche Askese und sein außergewöhnlicher Aufstieg auf immer höhere Säulen enthalten für den Hagiographen die große Gefahr, wuchtig von den sichtbaren Leistungen aus den Beweis seiner Heiligkeit und Gottgefälligkeit zu führen. Hierbei würde sich aber der Maßstab der leichtfertig hintergangenen Natur schnell wieder einschalten und die Darstellung in den Bereich der Legende oder in das Licht einer wundersamen Akrobatik zu Ehren Gottes, ja sogar einer verirrten Extravaganz, eines hochmütigen Messens menschlicher Kräfte oder einer perversen Ruhmsucht rücken [5]). Theodoret, der diese Gefahr deutlich sah, stellt daher seinen Bericht auf eine ganz andere und anscheinend äußerst schwache Basis, auf die Gottesfurcht seiner Zuhörer und auf das Wirken des Heiligen Geistes in ihnen. Damit baut er aber nicht auf die Leichtgläubigkeit, sondern verweist seine Hörer auf ein schöpferisches Mitgehen, das demselben Grund entspringt, aus dem heraus das Leben Simeons emporgewachsen ist. Auch heute ist dies der einzige Weg, der bei einer Beschäftigung mit dem ersten Säulenheiligen die bloße Neugierde an einer Kuriosität überwindet.

Schöpferische Tätigkeit ist nicht die Illusion der Neugestaltung, sondern das Antworten auf Vorgegebenes. Sie setzt aktives Hinhören und ein ständiges Offenbleiben voraus, das gerade der Glaube wachhält. Er hält den Menschen an der Grundprämisse seines Daseins fest, daß nämlich seine geistige Existenz genauso wenig wie seine leibliche auf Selbstsetzungen gründet. Weil sein Leben nicht vom Menschen selbst geschaffen wurde, kann er es auch nicht aus eigener Ermächtigung aufbauen ohne in ständig zu revidierenden Illusionen zu enden. Er findet vielmehr gerade im Verweilen und im sinnenhaften Öffnen aller Geisteskräfte die Antworten auf die Fragen nach seinen Daseinsgründen. In diesem Antwortgeben wird er von außen, teils unmittelbar von Gott, teils über die in die geschaffenen Dinge eingegrabenen Zeichen, immer weiter an die innerste Lebenskraft der Welt herangeführt, an den Plan der Schöpfung, der den auf sich gestellten analysierenden Kräften des menschlichen Geistes verborgen bleibt. Eine solche Erfahrung des Geführtwerdens überwindet die statische Abgrenzung gegenüber dem Vergangenen und ermöglicht die lebendige Hinwendung zu der zeitlichen Dimension der geschichtlichen Ereignisse im überlieferten Wissen. Der Glaube umfaßt so neben der eigenen Erfahrung das Eingewiesensein in die göttlichen Dinge, in die Stationen der Heilswerdung, das Theodoret in seinen Hörern voraussetzt, damit sein Bericht in jedem einzelnen auf neue Weise Leben und Gestalt gewinnen kann.

Dieses überlieferte Wissen ist in erster Linie, daß Gott, der sich zugleich als der Einzige und als der Universale offenbart hat, auch dem Menschen durch die Menschwerdung, den Tod und die Auferstehung seines Sohnes den Weg zu diesem in ihm begründeten Weltgeheimnis eröffnet hat, und daß die Gangbarkeit dieses Weges im Leben der Heiligen bezeugt wird. Die einzig mögliche Verbindung von Einzelung und Universalität liegt in der Liebe, die sich bis zu weltumfassender Weite steigern kann, zugleich aber immer an den konkreten Einzelnen gebunden ist. Die äußerste Erfahrung der Einzelung innerhalb der Schöpfung wurde für den Menschen nach dem Sündenfall in Leid und Tod gelegt, die ihn sowohl von Gott wie von der Erde trennten. Der Weg zur umfassenden Liebe aber führt durch diese seine tiefste Schwäche und Mangelhaftigkeit, so daß sie nicht wie das Feuer in einem promethischen Übergriff geraubt werden kann. Da der Mensch aber diese Grenzpunkte von Leid und Tod nicht selbständig zu überschreiten vermochte, weil sie seiner eigentlichen Natur widersprechen und daher widernatürlich sind, traf er wie Hiob hier stets auf die Bitternis der Verstoßung und auf ein wehrloses Ausgeliefertsein, ohne daß er mit seinen eigenen Fähigkeiten, auf die er zurückgeworfen war, sich aus der Bindung an seinen Umkreis lösen und zu seiner wirklichen Einzelung finden konnte. Sein eigener Weg mußte daher für den Menschen von außen, in der freiwilligen Menschwerdung Christi, der Weisheit des Vaters, die die ganze Schöpfung ins Dasein rief und in der ihr innerster Bauplan lebendig ist, durch das abgründige Wasser der Leiderfahrung zur Freiheit der Einzelung hingeführt werden, um zu seiner unendlichen Ergänzung in der Fülle der Liebe zu finden. Dadurch wurde dem Menschen die innerste Lebenskraft der Welt eröffnet, die umfassende Liebe, in der er nicht mehr nur im Gedankengang über die Wunder der Schöpfung Gott und der Welt gegenübertritt, sondern die als unmittelbare göttliche Kraft in ihm erfahrbar wird und ihn als Geschöpf von der ursprünglichen Ebenbildlichkeit Gottes zu innerer Verwandtschaft mit ihm emporhebt. Der Sündenfall Adams wird zur „glücklichen Schuld", die das Exsultet der römischen Osternachtfeier besingt, weil nun der Weg, auf den er den Menschen gestoßen hat, in der Teilhabe am Leiden, an der Einsamkeit und an der Erhöhung des Menschensohnes aktiv gangbar ist. Diese Nachfolge in der freiwilligen Annahme der Mangelhaftigkeit und der raum-zeitlichen Begrenzungen gibt dem Menschen das höchste Gut, das er Gott zum Tausch gegen die Erhöhung in der umfassenden Liebe anbieten kann, einem Tausch, der gerade in der leidvollen Erfahrung der Einzelung zur Freiheit der Schenkenden findet, „denn das Geheimnis Gottes ist nicht die Vereinigung, sondern die selige Entfremdung"[6]). Durch diesen heiligen Tausch, das sacrum commercium, steigt der Mensch zum Inbild der ganzen erlösten Schöpfung auf.

Diese in den Menschen gelegte Vollendung des Schöpfungsganges wird für den aus dem Glauben sehend Gewordenen in besonderer Weise am Leben des ersten Säulenheiligen offenbar, und deshalb nennt Theodoret Simeon „das große Wunder des Erdkreises". Das Wunderbare aber liegt nicht in den vollbrachten Leistungen, sondern in der scheinbaren Paradoxie, daß Simeon zu einem überragenden Zeugen der erlösten Menschheit emporwächst, gerade weil er sich nicht aktiv aus dem Bewußtsein einer besonderen Befähigung oder Erwähltheit Gott zu nähern versuchte. Er ringt nicht um eine persönliche Beziehung zu ihm, um eine Antwort von ihm oder um einen Dialog mit ihm. Er bemüht sich auch nicht um die Feinheiten theologischer Lehrsätze, und wenn er seinen ganzen Besitz verschenkt, so strebt er weder danach, durch utilitäre Hilfeleistung am Nächsten der Welt eine Belehrung zu erteilen oder ihre Not zu lindern, noch für sich die Gottgefälligkeit zu erkaufen, es ist vielmehr einfache Weggabe. Diese Weggabe aber ist gerade die Annäherung an den einzigen Ort, an dem Gott auf der Welt anzutreffen ist, denn der im Himmel über alles erhabene Gott zeigt sich auf Erden arm und schwach: „In dieser Welt empfindet Gott Schmerz und Hunger in allen Armen, so wie er selbst sagte: ‚Was ihr auch immer einem dieser Geringsten getan habt, das habt ihr mir getan.' Gott, der vom Himmel aus gnädig gibt, möchte auf der Erde empfangen" [7]). Dieser innerste Kern der christlichen Botschaft traf den Jüngling bereits mit wenigen Worten wie eine tiefe Wunde, die ihn von jeder Eigenmächtigkeit und von jeder Handhabung materieller Güter entblößte. Gerade dieses unmittelbare Getroffensein, ohne ein vorausgehendes Ringen mit sich selbst, brachte Simeon trotz seiner übermenschlichen Askese nie in die Gefahr einer lebensfeindlichen Weltferne, sondern läßt ihn mit einer staunenswerten Offenheit und einem sicheren Entscheidungsvermögen an allen Nöten teilnehmen, die an ihn herangetragen werden.

Diese Offenheit, die Simeon zu einem vielbesuchten Ratgeber in den verschiedensten theologischen und weltlichen Fragen werden läßt, ist aber nur ein äußeres Zeichen seiner Lebendigkeit. Das eigentliche Wunder seines Lebens entspringt aus dem großen Wagnis, immer wieder an die Grenzen der äußersten Einzelung, an die Schwelle des Todes und der scheinbaren Gottverlassenheit vorzudringen, ja das ganze Leben entlang dieser Linie zu führen, und staunend sah die christliche Oikumene hierin eine unmittelbare Fortsetzung der Zeit der Märtyrer und nannte Simeon wie diese einen Helden, einen Kämpfer und einen Athleten. Damit wird deutlich, daß für die Kirche die Zeugenschaft der Märtyrer mehr ist als das edelmütige und kompromißlose Einstehen für ihre Überzeugungen. Es ist der Gang in ein Wagnis, das das aller Heroen der Menschheitsgeschichte übertrifft, nämlich durch die Weggabe aller setzenden und widersetzenden Fähigkeiten des Menschen den Quell der umfassenden Lebenskraft der Liebe zu öffnen. Eine solche Liebe kann nicht durch Willensakte aufgebaut werden und ist daher den positiven Setzungen aus dem Bewußtsein eigener Befähigung verschlossen. Dennoch ist sie vollkommen an den konkreten Ort der Einzelperson gebunden, den sie nicht finden kann, wenn der Mensch, wie beispielsweise in den großen asiatischen Religionen, in eine leidlose Universalität und in den unbewegten Zustand kosmischer Allgemeinheit einzugehen versucht. Um sie aufzuspüren, muß die Selbsterfahrung in den eigenen Mangel und die Verwundbarkeit gelegt und in einem ruhelosen Weiterschreiten durch immer neue Wegnahmen, durch ständiges Sich-Öffnen, Suchen und Hinhören vertieft werden.

Während die positiven Setzungen stets in die ausschnitthafte Partialität führen, die in einem dialektischen Prozeß zu einem ständigen Umgestalten herausfordert, ist dies der einzige Weg, auf dem der Mensch zur Erfahrung der Einzelung zu gelangen vermag, die, wie die Höhlung eines Gefäßes, der konkrete Ort ist, in den die Liebe einfließen kann. Als innerste Lebenskraft kann sich diese Liebe bis zur alles umfassenden

Weite steigern, doch kommt sie niemals zur Ruhe. Sie wächst oder versiegt. So führt sie den Menschen aus der passiven Selbsterfahrung in der eigenen Mangelhaftigkeit und Begrenztheit zur äußersten Wachheit und zu einer ungeahnten geistigen Präsenz, gerade weil sie ihn in keinem Können und in keiner Routine festhält. Dies aber ist der Weg der wunderbaren Erneuerung des Menschen, der zwar mit dem Sündenfall Adams angelegt wurde, aber zu seiner Öffnung der Menschwerdung des Gottessohnes bedurfte. Auf ihm führt das Leiden nicht mehr wie bei Hiob in die Bitternis einer dem Menschen uneinsichtigen Prüfung, sondern ist Teilhabe am Menschensohn. Deshalb kann es nun mit asketischen Übungen aktiv aufgenommen werden, ohne daß diese in einem lebensfeindlichen Frevel oder einer selbstüberheblichen Körperzucht enden. Sie verwandeln den Menschen vielmehr in einen Schatzgräber, der den ganzen Reichtum der Schöpfung aufspürt.

In einem an diese Extrempunkte der menschlichen Existenz führenden Wagnis haben die Väter der Wüste, deren erste hervorragende Gestalt Antonius der Große ist, im Anschluß und in der Weiterführung der Zeit der Märtyrer diesen Weg als kontinuierliche Lebensführung erprobt. Einen Überblick über die verschiedenen Lebensformen dieser frühen Mönche gibt Theodoret in seiner Einleitung zur Lebensbeschreibung des Baradatus: „Der gemeinsame Feind der Menschen hat in seinem Eifer, die Natur der Menschen dem vollständigen Verderben zu übergeben, viele Wege des Lasters erfunden. Aber auch die Zöglinge der Gottesfurcht haben viele und verschiedenartige Leitern für den Aufstieg zum Himmel ersonnen. Die einen, die gemeinsam kämpfen – solcher Gemeinschaften gibt es tausende, und sie können nicht gezählt werden – erhalten den unvergänglichen Kranz und gelangen zum ersehnten Aufstieg. Die anderen, die sich dem einsamen Leben hingeben, einzig mit Gott reden wollen und nicht die geringste menschliche Tröstung empfangen, gelangen auf diese Weise zu öffentlicher Verkündigung. Einige, die in Zelten, andere, die in Lauben weilen, jubeln zu Gott. Wieder andere ziehen das Leben in

Höhlen und Grotten vor. Viele, von denen wir einige bereits erwähnt haben, haben sich darin gefügt weder eine Höhle, noch eine Grotte, noch ein Zelt, noch eine Laube zu haben, sondern sie halten, indem sie ihre eigenen Körper der freien Luft aussetzen, den gegensätzlichen Elementen stand, bald durch die unmäßige Kälte erstarrt, bald durch die Glut der Hitze versengt. Auch das Leben von diesen ist wiederum unterschiedlich: Einige stehen ununterbrochen, andere unterteilen den Tag durch Sitzen und Stehen, einige wenden, in irgendwelche Umzäunungen eingeschlossen, das Zusammenströmen der Menge ab, andere, die keinerlei dergestaltige Hülle verwenden, sind allen, die nach Schaulust verlangen, offen ausgesetzt ... [8])

Im Leben Simeons verknüpfen sich diese verschiedenen Lebensformen zu einzelnen Stationen innerhalb einer stetig aufsteigenden Bewegung. Das Erstaunliche dabei ist, daß die äußerste Einzelung, die den Menschen zum tiefen Gefäß der Liebe höhlt, nicht in der Einsamkeit der Wüste vollendet wird, sondern inmitten der Menschen und der Welt, die diese Liebe umfaßt. So wird dieses Leben, das Simeon von der klösterlichen Gemeinschaft über einen Abstieg in die Erde, über die Verwurzelung an einem Ort und schließlich über den Aufstieg auf immer höhere Säulen beständig weiter in die Einzelung und gleichzeitig in den Blickpunkt der ganzen christlichen Oikumene führt, zum unübersehbaren Zeugnis dafür, daß gerade das Leben der Eremiten ein Leben vollkommen im Herzen der Kirche und inmitten der Menschheit ist, denn die Kirche selbst konstituiert sich als der lebendige Leib des Erlösers aus dieser liebenden Spannkraft ihrer einzelnen Glieder, und jeder Einzelne wiederum ist im Wachsen dieser Liebe ein Bild der ganzen Kirche und der ganzen erlösten Schöpfung.

Die Öffentlichkeit, in der das Wagnis dieses Lebens aufgenommen wurde, birgt aber die abgründige Gefahr in sich, in einer Selbstsetzung den eigenen Leib als Experimentierfeld zu benützen und die so provozierten Erlebnisse als Neuheiten auszubreiten [9]). Deshalb stellten die Väter der Wüste, die mit wachem Auge alle Neuerungen der monastischen Lebensführung beobachteten, Simeon auf die Probe: „Als nun Simeon, jener Engel auf Erden, der bereits im Fleische Bewohner des himmlischen Jerusalem war, sich eifrig dem so neuartigen und den Menschen unbekannten Lebensweg hingab, schickten die im heiligen Eremos Lebenden jemanden zu ihm, den sie beauftragten zu ergründen, was diese fremdartige Lebensweise sei, und warum er den gangbar gemachten und von den Heiligen ausgetretenen Weg verlasse und irgendeinen anderen, fremden, den Menschen bis jetzt unbekannten, beschreite. Gleichzeitig befahlen sie ihm herabzusteigen und den Weg der erwählten Väter zu Ende zu gehen. Wenn er sich aber zum Abstieg bereit zeigen würde, so trugen sie auf, ihm zu gestatten, daß er seinen eigenen durchlaufen solle. Aus der Unterordnung würde nämlich offenbar, ob er von Gott geführt auf diese Weise seinen Kampf durchstehe. Wenn er aber widerstrebe oder sogar zum Diener seines eigenen Willens geworden sei und den Auftrag nicht geradewegs erfüllen würde, dann soll er ihn mit Gewalt herabziehen. Als dieser nun zu ihm gekommen war und den Auftrag der Väter ausgerichtet hatte, da streckte er sofort einen der Füße aus und wollte die Vorschrift der Väter erfüllen. Da gestattete er ihm seinen eigenen Weg zu vollenden und sagte dazu: ‚Sei stark und mannhaft. Dein Stehen ist von Gott.' " [10])

Mit dem Wagnis der frühen Väter der Wüste in der Nachfolge Christi das Leben als kontinuierliches und sich selbst auferlegtes Martyrium entlang der äußersten Leid- und Todeserfahrung zu führen, begann die Kirche in der zweiten Hälfte des 4. Jahrhunderts die Heilswerdung auch an den Stationen eines solchen Lebens zu verkünden, während bis dahin im wesentlichen nur die Martyrien in Akten festgehalten wurden. Die erste große Heiligenbiographie ist die Lebensbeschreibung Antonius des Großen, die von Athanasius um 370, etwa 13 Jahre nach dem Tod des Heiligen, verfaßt wurde und die die Christen im Osten wie im Westen tief beeindruckte [11]). Ihr folgten eine große Zahl weiterer Viten, wie die Mönchsbiographien des Hieronymus, die Lobrede auf Gregorius den Wundertäter von Gregor von Nyssa, die Lebensbeschreibung des hl. Martin von Tours durch Sulpicius Severus u. a. Diese Biographien aber wollten kein nach außen schillerndes, historisches Denkmal für große Persönlichkeiten des christlichen Glaubens setzen, sondern waren Heilsverkündigung. Alle berichteten Fakten stehen hier nicht für sich selbst, sie fordern vielmehr zum Hinterschauen, zum Wegnehmen der sprachlichen Begriffe und zum Aufspüren des in ihnen verkündeten inneren Sinnes heraus. Das lebendige Zeugnis des Heiligen kann nur durch ein Sehen aus dem eigenen Betroffensein des Biographen so an die Hörer weitergegeben werden, daß es in jedem einzelnen eine neue Gestalt gewinnt.

Dies gilt auch für die überlieferten Lebensbeschreibungen Simeons. Jeder der verschiedenen Biographen begnügt sich nicht damit, einfach Fakten festzuhalten, sondern versucht den inneren Sinn der dramatischen Lebensführung entlang der schmerzhaften Todverfallenheit der Welt aus eigener Anteilnahme und daher mit eigener Akzentsetzung sichtbar zu machen. Es ist eine Lebensführung, die Simeon vom untersten Grab der Heiligen, der Erdhöhle, in das mittlere, der Einschließung als Rekluse in eine Zelle und der Verwurzelung an einem Ort bis auf das immer höher emporwachsende auf der Säule führt. Derjenige aber, der auf der Säule begraben ist, erreicht, wie Eustathios von Thessalonike in seiner Lobrede auf einen Styliten sagt, die höchste Form der Tugend, da er nicht wie das Licht unter dem Scheffel verborgen, sondern allen sichtbar ist[12]). Der Säulenheilige ist ein der irdischen Geschäftigkeit erstorbener Eremit über der Welt und doch mitten in ihr und damit ein in seiner Aussagekraft kaum überbietbares Bild der erlösten Menschheit und der Kirche. Er ist wie die Kapitelle romanischer Kirchen über die Erde emporgehoben und dennoch mit ihrer ganzen Lebenskraft erfüllt.

Diesen inneren Sinn berichten alle Lebensbeschreibungen Simeons. Wie aber in jedem der vier Evangelien der gleiche innere Sinn, das Kommen des Herrn, jeweils in eigener Gestalt verkündet wird, so spiegeln auch die verschiedenen Viten Simeons das lebendige Sehen der einzelnen Biographen aus der eigenen Anteilnahme wieder. Wenn überhaupt Leitlinien herauskristallisiert werden dürfen, so kann gesagt werden, daß Theodoret sein Augenmerk besonders auf das Wirken des Heiligen Geistes und der Kraft des Erlösers richtet, daß die griechische Lebensbeschreibung des Antonius das Eremitentum Simeons betont und daß die syrisch geschriebene Vita hervorzuheben versucht, wie sich sein Leben trotz aller Einzelung inmitten der christlichen Gemeinschaft vollzieht und seine einzelnen Stationen sich immer wieder zu einem Bild der Kirche verdichten. Im folgenden werden daher die Berichte nicht nach dem unzulänglichen Maßstab ihrer historischen Glaubwürdigkeit gewertet, um einen kontinuierlichen Lebenslauf zu konstruieren, sondern es werden die wichtigen Stationen im Leben Simeons so wiedergegeben, wie sie die einzelnen Biographen darstellen, und es soll versucht werden, den inneren Sinn dieser Beschreibungen zu erhellen.

Die Quellen

Drei eigenständige Quellen berichten über das Leben des ersten Säulenheiligen, die wiederum einer Reihe späterer Biographen als Vorlage dienten. Es sind dies das bereits genannte 26. Kapitel der Mönchsgeschichte Theodorets, eine von Simeon Bar Apollon und Bar Hatar syrisch geschriebene Vita und eine griechisch verfaßte Lebensbeschreibung von einem gewissen Antonius, der sich als Schüler Simeons bezeichnet und in der Form eines Augenzeugen berichtet. Diese Texte sind zusammenhängend von Hans Lietzmann herausgegeben [13]) und in neuerer Zeit mehrfach kritisch untersucht worden [14]), so daß sich die folgenden Ausführungen auf einige wesentliche Angaben beschränken können.

Der älteste Bericht ist das 26. Kapitel der Mönchsgeschichte [15]), das noch vor dem Tod des Heiligen niedergeschrieben wurde, denn Theodoret widmet mit Beginn des 21. Kapitels seine Ausführungen den noch lebenden Athleten Gottes und beschließt seinen Abschnitt über Simeon mit den Worten: „... Wenn er noch länger lebt, so wird man wohl noch größere Wunder hinzufügen. Ich aber bitte Gott und flehe ihn an, daß sowohl ihm (Simeon) durch seine ihm eigenen Gebete Hilfe gebracht werde, um in diesen edlen Mühen auszuharren, er ist nämlich die allgemeine Zierde und der Schmuck der Gottesfurcht, als auch, daß mein Leben geordnet und zum Wandel nach dem Evangelium hingelenkt werde“ [16]). Einige Handschriften enthalten statt dessen einen erweiterten Abschnitt, der den Tod des Heiligen berichtet [17]), doch ist bis heute ungeklärt, ob er in dieser Form von Theodoret selbst nachgetragen wurde, da sein Todesjahr noch nicht ermittelt werden konnte [18]). Auch wurden trotz des Nachtrages Angaben aus der früheren Niederschrift nicht aktualisiert [19]).

Theodoret hatte Simeon selbst aufgesucht, als dieser bereits auf seine letzte und höchste Säule von etwa 20 Metern aufgestiegen war. Eine ganze Reihe von Ereignissen und Wundern berichtet er als Augenzeuge, und das übrige dürfte er an Ort und Stelle von den Personen erfragt haben, die Simeon seit seiner Jugend kannten. Deshalb und wegen seiner Autorität als bedeutender Theologe und Kirchenhistoriker wird er allgemein als die zuverlässigste Quelle angesehen [20]), doch schreibt auch er nicht aus der neutralen Distanz des beobachtenden Historiographen, sondern mit der eigenen Anteilnahme eines Theologen, der nicht Fakten aufreihen will, sondern dem inneren Sinn dieses außergewöhnlichen Lebens nachspürt und besonders das Wirken der göttlichen Kraft und Gnade in Simeon gegenüber allen Kritikern dieser neuartigen Form der Askese verteidigt.

Die umfangreichste Lebensbeschreibung Simeons ist die syrische Vita. Sie wurde bisher in zwei Fassungen ediert, die an zahllosen Stellen von einander abweichen und auch in ihrer Abfolge nicht übereinstimmen [21]). Die erste Edition, die 1748 von St. Ev. Assemanus besorgt wurde [22]), basiert auf einem altehrwürdigen Codex, wohl aus dem 5. Jahrhundert, der aus dem syrischen Kloster in der Nitrischen Wüste stammt und heute im Vatikan aufbewahrt wird [23]). Sie ist leider ein „opus tumultuarium“ [24]) mit vielen Nachlässigkeiten und mit einer schlechten lateinischen Paraphrase versehen, was auch das Ansehen des Textes selbst schmälerte. Eine zweite Ausgabe wurde 1894 von Paul Bedjan veranstaltet [25]), der ihr eine schön geschriebene Handschrift des 6. Jahrhunderts aus dem Britischen Museum zugrundelegte [26]). Dieser Text wurde von Heinrich Hilgenfeld ins Deutsche übertragen [27]), doch blieb seine Bevorzugung nicht unwidersprochen [28]). Ohne hier auf Einzelheiten einer kritischen Textrezension einzugehen, wird im folgenden, soweit dies der Text erlaubt, bei Zitaten die Ausgabe von Assemanus zugrundegelegt, und wichtige Varianten von

Bedjan werden angemerkt [29]). Wie aus dem Kolophon der ältesten Handschrift hervorgeht, wurde die syrische Vita 15 Jahre nach dem Tode Simeons verfaßt:

„Mögen in gutem Gedenken vor Gott und seinem Messias Simeon Bar Apollon und Bar Hatar, Sohn des Udan, sein, die die Mühe auf sich nahmen, dieses Buch ‚Die Siege des Mar Simeon, des Begnadeten' auszuarbeiten. Sie arbeiteten nämlich mit der Mühsal ihrer Hände und mit dem Schweiße ihres Angesichtes, damit ihren Toten ein Gedenken sei und Festigkeit ihren Wohnungen und ihren Seelen Erlösung, und sie mögen das neue Leben, das in Christus ist, finden und zu ihrem Anteil gelangen, der auf die Heiligen in dem Lichte zukommt, das nicht vergeht und nicht ausgelöscht wird in Ewigkeit. Amen.

Beendet wurde dieses Buch ‚Der Sieg des Mar Simeon, des Begnadeten' am 17. im Monat April, am Mittwoch, des Jahres 521 nach der Rechnung der Antiochener in den Tagen des ausgezeichneten, erwählten und in den schönen Diensten Gottes eifrigen Herrn Presbyters Simeon und in den Tagen seines Herrn Archidiakon, des Mar Keuris. Und jeder, der darin liest, möge für diejenigen beten, die mit Ausdauer dieses Buch ausgearbeitet haben, daß Gott ihnen Vergebung ihrer Sünden gewähre in Ewigkeit. Amen. Amen.

Jeder, der (es) liest und sich (damit) beschäftigt, möge für den, der (es) geschrieben hat, mit folgenden Worten beten: ‚Der, der den Hiob neu gemacht hat und ihn in das Doppelte von allem eingesetzt hat [30]), der möge seine Bitte um Rechtschaffenheit in dieser Welt erhören, und in der neuen Welt möge er sich als würdig erweisen, das Leben mit den Rechtschaffenen und Gerechten zu empfangen, die ihren Herrn durch Wahrhaftigkeit und gute Werke erfreuten'.

Sei stark in unserem Herrn und im Gebet für mich." [31])

Die antiochenische Aera beginnt üblicherweise im Herbst 49 v. Chr., in einigen Fällen wird jedoch ihr Anfang in den Herbst 48 v. Chr. gelegt. Da der 17. April im Jahre 474 auf einen Mittwoch fällt, dürfte hier nach der zweiten Weise gerechnet sein [32]). Dieser Tag aber war der Mittwoch der Karwoche, also der Tag, an dem der Tod des Herrn im Hohen Rat von Jerusalem beschlossen und der Verrat mit Judas vereinbart wurde. Zugleich aber sah die Kirche seit alter Zeit in den Tagen der Karwoche die Erneuerung der Schöpfungswoche. Am vierten Tag, dem Mittwoch, wurden die Himmelsleuchten erschaffen, deren hellste, die Sonne, ein Bild Christi und deren stetig sich wandelnde, der Mond, ein Bild der Kirche ist. Es ist somit der Tag, an dem sich Christus, dessen Untergang unverrückbar beschlossen ist, und die Kirche, die mit ihrem periodischen Lichtwechsel die Zeiten unterteilt, im Spannungsfeld der Geschichte gegenüberstehen, der Tag also, der der Bestellung des göttlichen Ackers gewidmet ist [33]). Nach der syrischen Vita ist Simeon an einem Mittwoch gestorben, und es ist sicher kein Zufall, daß dieser Tag als Beendigung seiner Lebensbeschreibung ausgewählt wurde.

Am weitesten verbreitet ist eine griechische Lebensbeschreibung, die in viele Menologien eingegangen ist. Ihr Verfasser nennt sich Antonius und berichtet als Jünger Simeons in der Form eines Augenzeugen. Sehr früh wurde dieser Text ins Lateinische übersetzt, und bereits Gregor von Tours muß eine solche Übersetzung benützt haben [34]). Die einzelnen Handschriften des griechischen wie auch des lateinischen Textes weichen erheblich voneinander ab. Dennoch hat Hans Lietzmann versucht zwei griechische und einen lateinischen Text herzustellen [35]). Daneben liegen zwei Texte in den Acta Sanctorum [36]), einer bei Rosweyde [37]) und die 1907 erfolgte Erstausgabe einer griechischen Handschrift von Papadopulos-Kerameus [38]) gedruckt vor.

Von allen modernen Autoren wird dem Bericht des Antonius der geringste historische Quellenwert zugemessen. Am schärfsten geht Paul Peeters mit ihm ins Gericht [39]), doch fällt er sein Urteil, ganz abgesehen von einigen Fehlschlüssen, nach Maßstäben, die sich der Text gar nicht gesetzt hat. Eine ganze Reihe charakteristischer Stellen zeigt, daß diese Lebensbeschreibung Simeon als einen Eremiten im Mittelpunkt der Welt darstellt, in dem die Wunderkraft der Väter der Wüste, die Tier und Mensch anzieht, ungebrochen erhalten ist. Am deutlichsten ist dies durch die Art des Todes ausgedrückt, denn im Unterschied zur syrischen Vita stirbt Simeon nicht im Kreise seiner Jünger, sondern trotz der versammelten Menschenmenge von allen unbemerkt. Sein Sterben wird deshalb mit dem Freitag verknüpft, dem Tag, an dem Christus den Tod in der hohen Einsamkeit des Kreuzes erlitten hat und an dem, am Ende der Schöpfungswoche, der Mensch erschaffen wurde.

An den ersten Tagen glaubte sein Jünger, Simeon sei reglos im Gebet versunken, ähnlich wie es von Antonius dem Großen berichtet wird, als er Paulus, den ersten Einsiedler, in Gebetshaltung, aber bereits tot, auffand. Deutlich wird Simeon allerdings nur in der von Lietzmann edierten lateinischen Vita mit dem Ureremiten Paulus verglichen [40]). Diese Bemerkung aber zeigt, daß im Verfassername der Vita, Antonius, die Tradition des Eremos, der Einsiedlerwüste, anklingen soll, und daß er wohl ein absichtlich gewähltes Pseudonym ist. Auch die nur bei Antonius berichtete dramatische Szene der Ankunft der Mutter, die Simeon lange Jahre suchte und, als sie ihn schließlich fand, nicht lebend sehen durfte [41]), zeigt die Strenge, aber auch den inneren Sinn seines Eremitentums.

Die Lebensstationen Simeons

Alle drei Viten berichten übereinstimmend die Grundlinie im Leben Simeons, die ihn, nachdem er als Jüngling durch die Worte des Evangeliums zutiefst getroffen war, über die immer schärfere Einzelung und über das Festwerden an einem genau umschriebenen Ort in den sinnhaften Mittelpunkt des ganzen göttlichen Heilsplanes führt. Bereits zu Anfang, in der klösterlichen Gemeinschaft, trennt ihn seine weitergehende Askese, die aber nicht in der äußerlichen Strenge seiner Körperzucht, sondern in der vertieften Beziehung auf das Heilsgeschehen gründet, von den übrigen Mönchen. Von hier aus dringt er durch das Eingehen in die Erde, das als Aufenthalt in einer Höhle beschrieben wird und bei dem ein heftiger Kampf mit den chthonischen Mächten bestanden werden muß, an den Todesort der Menschheit vor, von dem aus aber das Leben erneuert wurde, denn das Wort Gottes hat sich nicht allein der geistigen Erkenntnis des Menschen zugewandt, sondern ist selbst Fleisch geworden und hat sich der Erde eingeprägt. Nach dieser Einsenkung in die Erde zieht Simeon aus der Gemeinschaft des Klosters in die Abgeschlossenheit des Reklusen und von hier in die Bindung an seinen, ihm eigenen Ort, von dem aus sich sein Aufstieg auf immer höhere Säulen vollzieht. Dies ist kein ausgreifendes Wachsen in den Raum, sondern ein Wachsen in den Mittelpunkt, der dadurch, daß er da ist und immer höher und sichtbarer wird, den Raum an sich zieht und ordnet.

Ein solcher Aufstieg, der bei Simeon gleichsam zu seiner Vollendung gebracht wird, zieht sich als Grundlinie durch viele Heiligenleben. So ist beispielsweise Antonius der Große ebenfalls von den Worten des Evangeliums so getroffen, daß er zuerst in ein Grab hinabsteigt, sich anschließend 20 Jahre als Rekluse in ein verfallenes Kastell zurückzieht und dann auf den Berg Kolzim am Roten Meer aufsteigt. Auch das Leben von Christus zeigt diese Bewegung, die von der Geburt in der Höhle von Bethlehem über die Bindung an die Grenzen des jüdischen Volkes zum Aufstieg auf den Berg Golgotha führt. Das Gottesreich wird nicht als Raum, sondern als Mittelpunkt errichtet, und dieser Mittelpunkt im Weltgeviert ist Christus selbst und seine Kirche, die wie eine Säule die Gläubigen emporhebt, deren Geschichte ebenfalls in der Erdhöhle der Katakomben beginnt. Nach diesem Bild sind die frühen Tischaltäre gebaut, bei denen die viereckige Mensa auf einer Säule ruht, die über dem Grab eines Märtyrers, eines in die Erde gefallenen Samenkornes, emporwächst. Das Exsultet der römischen Osterliturgie feiert die Osterkerze als Säule, von der aus das flammende Licht an alle weitergereicht wird, ohne daß es selbst als leuchtender Mittelpunkt geringer wird. Der Mensch selbst ist nach mittelalterlicher Lehre aus Erde erschaffen, weil diese fest und unbeweglich im Mittelpunkt der kreisenden Elemente ruht [42]). Dieser Weltmittelpunkt wurde durch die Menschwerdung Christi, durch seinen Aufstieg durch die Stationen des Heiles, aus der Tiefe seines Falles wieder an den himmlischen Mittelpunkt herangeführt. Der Aufstieg Simeons aus der Tiefe der Erdhöhle auf die fest in der Erde verankerte und dem Himmel entgegenwachsende Säule ist so ein Bild des geschichtlichen Weges der Kirche und der erlösten Menschheit, auf dem der Weltmittelpunkt zum Himmel emporgehoben wird, ein Bild, das in den Stationen seines Lebens in den eigenen Körper geschlagen und nicht nur gedanklich umfaßt wird. In dieser Weise, doch jeweils mit eigenen Prägungen, wird Simeon von allen Biographen gesehen.

a) Die Jugend

Simeon wurde um das Jahr 389 im Dorfe Sis [43]), nördlich von Antiochien, an der syrisch-kiliktischen Grenze, geboren.

Obwohl er von christlichen Eltern abstammt, wird seine Kindheit von den Biographen nicht als christliche Erziehung geschildert, die ihn in seinen späteren Lebensweg einweist, sondern als ein gleichsam noch in einem alttestamentlichen Dunkel liegender, aber in seinen Äußerungen prophetischer Abschnitt, der seine Erfüllung im späteren Leben findet. Der große Einschnitt, das Getroffenwerden vom Wort Gottes, kommt nicht aus einer inneren, von den Eltern geleiteten Entwicklung, sondern, wie auch das Heil in Christus, durch ein Ereignis von außen. Theodoret, der angibt, diese Begebenheiten selbst von Simeon vernommen zu haben, schildert dies folgendermaßen:

„Von seinen Eltern lernte er zuerst das Hüten der Schafe, damit er hier auch den großen Männern verglichen werden kann, dem Patriarchen Jakob, dem besonnenen Joseph, dem Gesetzesgeber Moses, dem König und Propheten David, dem Propheten Micheas und den ihnen nachfolgenden gottönenden Männern. Als eines Tages viel Schnee gefallen war, und die Herden drinnen bleiben mußten, nützte er die Ruhepause und ging mit seinen Eltern in ein Gotteshaus." Hier hörte er die Worte der Bergpredigt und fragte einen der Anwesenden, wie er diese versprochenen Güter erlangen könne. „Es wird ihm das einsame Leben angeraten und als äußerster Gipfel von jenem die Hingabe an die Weisheit (Philosophia[44])) aufgezeigt." Daraufhin eilte Simeon zu einer in der Nähe gelegenen Memoria der heiligen Märtyrer und bat auf den Knien liegend und mit der Stirn den Boden berührend Gott, er möge ihn auf den vollkommenen Weg der Frömmigkeit führen. Hier hatte er dann folgendes Traumgesicht: „ ‚Ich hatte den Eindruck', sagte er, ‚Fundamente auszugraben und danach jemanden, der dabeistand, zu hören, daß ich den Graben noch vertiefen müsse. Ich grub also, wie er befohlen hatte, tiefer und versuchte wieder auszuruhen. Er aber gebot mir wiederum zu graben und nicht in der Mühe nachzulassen. Nachdem er mir drei- und viermal aufgetragen hatte, so zu verfahren, sagte er, die Tiefe hätte einen hinreichenden Grad erreicht und trug mir auf, das Weitere mühelos aufzubauen, da ja die Mühe vorbei sei und der Bau mühelos aufgeführt werden könne.‘ Diese Voraussage bezeugen die Taten: Das Entstandene übersteigt die Natur [45]).“ Die Begegnung mit dem Wort Gottes geschieht wie zufällig durch ein äußeres Ereignis, aber dieses Wort trifft den Jüngling unmittelbar und trägt ihm sofort auf, ruhelos sich selbst zum tiefen Gefäß für die Liebe auszuhöhlen, die dann mühelos emporwächst.

Die von Antonius verfaßte Vita berichtet ähnlich, doch findet sich in der griechischen Version [46]) der zweifellos sekundäre Einschub, daß Simeon bereits als Kind in die Kirche ging und mit Aufmerksamkeit das Wort Gottes hörte, ohne es jedoch zu verstehen. Die in vielem sicherlich die ältere Form bewahrenden lateinischen Handschriften [47]) erzählen die Wirkung der Heilsbotschaft auf Simeon in der gleichen Unmittelbarkeit wie die übrigen Lebensbeschreibungen: Eines Sonntags geht er in die Kirche, hört das Wort des Apostels und läßt es sich von einem Alten erklären. Zutiefst getroffen geht er aus der Kirche, betet und fastet nach der griechischen Version während der siebentägigen Zeitspanne der Schöpfungswoche, nach den lateinischen Texten drei Tage [48]), die der Grabesruhe Christi entsprechen. Beide Zeitangaben beziehen sich auf den gleichen Sinn, die vollständige Erneuerung des Lebens durch die Worte des Evangeliums, und dieses neue Leben beginnt für Simeon mit seinem Eintritt in das Kloster.

Sehr viel ausführlicher wird der erste Lebensabschnitt Simeons in der syrischen Vita erzählt: „. . . Er hatte gläubige Eltern. Sie gaben ihm die Taufe als er noch klein war. Er hatte einen anderen Bruder mit Namen Schemschi. Sie allein blieben von den vielen, die ihre Eltern hatten. Der begnadete Mar Simeon liebte es von seiner Jugend an, die Herden seines Vaters zu weiden und sich selbst in der Weisheit und in der Mühsal zu üben. Als er nun zum Jüngling und kräftig und groß geworden war, hatte er folgende Weisheitsgabe: Mit großer Ausdauer sammelte er Styraxharz als er die Herden weidete und zündete ein Feuer an und legte (es) auf, wobei er nicht erkannte, aus welchem Grunde er es auflegte, denn die Schriften waren ihm noch nicht zu Gehör gebracht worden, und er war auch nicht in der Furcht unseres Herrn unterwiesen worden, denn er war von seiner Jugend an auf dem Feld und auf den Bergen aufgewachsen . . . Als die Zeit gekommen war, und es unserem Herrn gefallen hat, und seine Eltern ihre Tage beendet hatten und in den Frieden eingegangen waren, und er und sein Bruder als Erben zurückblieben, da rief ihn der Umstand und es zwang ihn die Lage, daß er das Haus seiner Eltern betrat. Und als er die Leute seines Dorfes sah, wie sie am Sonntag zur Kirche gingen, da ging auch er mit ihnen. Und als er gehört hatte, wie der Apostel verlesen war, fragte er diejenigen, die an seiner Seite standen: ‚Von wem sind diese Schriften und was steht in ihnen?' Und sie sagten ihm: ‚Dies sind die Schriften Gottes, der im Himmel wohnt und die Worte Gottes stehen in ihnen.' Da wunderte er sich sehr in seinem Sinn, und am anderen Sonntag kam er wieder und ging in die Kirche, wandte sein Ohr hin und hörte sorgfältig die heiligen Schriften, wie einer mit Verständnis. Und von diesem Tag an trug er große Sorgfalt, Styraxharz zu sammeln und kaufte auch, was die Hirten, seine Gefährten, sammelten, und wie einer mit Verständnis legte er es vor unseren Herrn, wobei er sprach: ‚Möge lieblicher Duft zu Gott im Himmel aufsteigen . . .' " Nach einigen Tagen hatte Simeon seine erste Vision. Es erschien ihm ein leuchtender Mann, der ihm weissagte, daß der Herr ihn zum Führer seines Volkes und der Schafe seiner Weide machen werde. „Darauf führte er ihn und stieg auf einen Berg und stellte sich auf seinen Gipfel, zeigte ihm Steine, die dalagen und sagte zu ihm: ‚Auf, baue!' Der begnadete Mar Simeon sprach zu ihm: ‚Herr, ich verstehe nicht zu bauen, denn ich habe noch niemals ein Gebäude errichtet.' Er sprach zu ihm: ‚Stelle dich hin, ich werde dich zu bauen lehren.' Da brachte er einen großen ausgebrochenen Stein, der gut behauen und schön war, legte (ihn) in die Hände des Begnadeten und sprach zu ihm: ‚Richte aus und lege ihn nach Osten und einen nach Norden und nach Süden einen weiteren, und einen lege auf sie, und das Gebäude ist fertig.' Der begnadete Mar Simeon sprach zu ihm: ‚Herr, was ist das? ‘ Jener Mann sagte zu ihm: ‚Das ist die Opferstätte Gottes, den du verehrst und dem du die Wohlgerüche auflegst und dessen Schriften du gehört hast‘ . . .“ [49])

Die Opferstätte Gottes hat im Westen ihren freien Raum, so wie sich das Langhaus eines Domes mit kreuzförmigem Grundriß nach Westen erstreckt. Über dem Westen steigt aber Christus, wie bei seiner Auferstehung über dem Ort seines Todes, am Ende der Zeiten auf, also über dem Ort, über dem täglich sein helleuchtendes Bild am Himmel, die Sonne, untergeht. Auf dieses Ereignis haben die Väter den Psalmvers 67,5 gedeutet, der in der Form der Septuaginta lautet: „Bereitet den Weg für den, der über dem Untergang aufsteigt.“ Durch die Erlösungstat Christi geht der Gang der Geschichte, der irdischen Zeit der Kirche, während der die Heiligen wirken, gegen den Lauf der Sonne, vom Ort des Unterganges weg zur ewigen Opferstätte Gottes. Daher tritt auch der Priester bei der üblichen Ostung der Kirche von Westen her an den Altar. Ebenso leitet Simeon als auserwählter Führer die Prozession des neuen Gottesvolkes von Westen her, dem freien Raum, aus dem heraus sich die Schafe des Herrn sammeln, an den Altar Gottes. Dieses erste Gesicht führt der leuchtende Mann weiter, indem er Simeon die Scharen zeigt, die durch seine Hände das Zeichen Christi empfangen sollten. Sie sind mit weißen Hochzeitskleidern geschmückt und stehen im Hof der Kirche, wie auf den mitternächtlichen Ruf des Bräutigams wartend. In diese Kirche wird Simeon hinein und vor ihren Altar geführt, der wie jeder Altar ein Bild Christi ist. Aus seinen Fundamenten steigt ein so prächtiger Mann empor, daß in ihm Christus selbst gesehen werden muß. Dieser legt Simeon eine vollkommen weiße Speise in den Mund, die rund wie eine Perle und süß wie Honig ist und durch die „seine Seele sehr gesättigt und gestärkt wird.“ Dann gibt er ihm den goldenen Stab in die Hand, mit dem er die Herde Christi männlich und stark weiden wird [50]). Anschließend verbringt Simeon einige Zeit, während der er häufig fastet und betet, viele Nächte in der Kirche bleibt, ganze Tage unbeweglich steht und seine ersten Wunder wirkt. Dann verteilt er seine Güter und tritt in das von Eusebonas und Abibion gegründete Kloster bei Teleda ein [51]).

Die Eltern geben Simeon neben dem physischen Leben in der Taufe auch den Keim des geistigen Lebens. Der eigentliche Lebensweg des Kindes aber wird nicht von ihnen geprägt, sondern durch sein eigenes Hinhören und durch sein Antwortgeben auf die Zeichen Gottes in der Welt, einem Antworten, das von außen aufgerufen wird. Zu Lebzeiten der Eltern ist das Tun des Kindes nur ein Bild seines späteren Lebens, das in seinem Sinn noch verhüllt ist und das dann durch äußere Ereignisse zu seiner Deutung und zu seiner Verwirklichung kommt. Diese Ereignisse treten machtvoll mit dem Tod der Eltern auf.

In dieser Kindheitsbeschreibung ist aber mehr als nur das individuelle Heranwachsen Simeons niedergelegt. Die Eltern sind ein Bild des Urelternpaares und ein Bild des Alten Bundes. Von den vielen Kindern, den Völkern der Erde, blieben nur zwei innerhalb des Lebensstromes der göttlichen Offenbarung, die Synagoge, als das ältere, und die Kirche, als das jüngere. Das jüngere Gottesvolk, die Kirche, ist letztlich von Gott auserwählt und angenommen, auf sie ging das Erstgeburtsrecht des Alten Bundes über. Vorbildhaft sah dies die Kirche seit ihren Anfängen in den alttestamentlichen Brüderpaaren Abel–Kain, Jakob–Esau und Ephraim–Manasse [52]). In gleicher Weise ist in der syrischen Vita Simeon, der jüngere, der Begnadete und der Erwählte. Er ist ein Bild der Kirche aus den Heidenvölkern, die in ihrer Jugend über Felder und Berge streiften und Gott nur ahnten. Das Haus seiner Eltern betrat Simeon erst nach ihrem Tod wie ein Fremdling, und er greift nicht nach der materiellen Erbschaft des Gesetzes, sondern nach der geistigen, die keimhaft mit der Taufe in ihn gelegt wurde. Mit Leichtigkeit gibt er sein Erbe weg, bevor er ins Kloster eintritt. Sein älterer Bruder folgt ihm zwar nach, doch schwerer und erst nachdem er vom Bischof von Gabula, Mar Mara, ermahnt worden ist.

Dieses Verhältnis der beiden Brüder wird deutlich in einem Traum geschildert, den Simeon vor dem Tod seines Bruders Schemschi sah, und den er vor seiner Einschließung während der Fastenzeit drei alten Männern erzählte: „ ‚Während dieser Einschließung, bis die Türe sich öffnet, wird Mar Schemschi aus der Welt scheiden. Macht einen Sarg und legt ihn hinein und hütet euch, daß niemand ihn von euch wegnimmt.' Er hatte nämlich folgendes gesehen: Einen Baum, der viele Früchte trug, bewundernswert in seinem Aussehen, und seine Zweige waren prächtig und voll von Früchten. Seine Blätter aber zogen den Blick auf sich. Ein Schößling war an ihm, der von ihm auswuchs. Da kam ein bewundernswerter Mann und sein Aussehen war besonders wunderbar und bei ihm waren vier Männer, die Äxte in ihren Händen trugen, und er sprach zu ihnen: ‚Schlagt diesen Schößling von jenem Baum ab, denn zu stark sprießt er hervor und von vielen Früchten hält er ihn ab!' Und siehe, da fand sich nun ein anderer Mann ein, der bei ihm stand und der ebenfalls prächtige Kleider hatte und schön in seinem Aussehen war. Und dieser Mann sagte: ‚Laßt uns ihm einen anderen Gefährten machen!' Er antwortete und sprach zu ihm: ‚Er benötigt keinen Gefährten, denn er genügt allein für die, die innen sind, und für die Außenstehenden.' Als aber dieser Schößling von diesem Baum weggenommen war, befahl dieser Mann jenen vier Leuten und sprach zu ihnen: ‚Grabt also tief aus, und die Wurzel dieses Baumes soll auf Fels gesetzt werden, und füllet auf bis hinauf zu seinen Zweigen, und er soll gut festgemacht sein, damit er nicht ins Wanken gerät. Viele Früchte wird er nämlich tragen, doch starke Winde, Wirbel und heftige Stürme werden auf ihn einschlagen.' Als sie tief ausgeschachtet, ihn eingesetzt und seine Wurzel festgemacht hatten, da trieb er sofort von neuem aus und setzte seine Triebe an und kräftigte sie nach allen Seiten, und er trug viele Früchte, eins zu hundert gegenüber früher. Unter der Wurzel dieses Baumes sprudelte plötzlich eine starke Quelle mit viel Wasser hervor und überschwemmte Berge und Höhen und floß unaufhörlich und brachte die vier Erdregionen zum Keimen.

Da zeigte sich nun plötzlich viel Getier und Vögel, ohne Ende, von jeder Art und von jeder Gestalt, erhabene gemeinsam mit unscheinbaren, und versammelten sich aus allen Richtungen und kamen und aßen von den Früchten dieses Baumes und tranken aus dieser Quelle. Und was sie auch aßen und tranken, die Früchte des Baumes nahmen zu und wurden besser, und die Quelle blieb stark und kräftig. Der Baum aber war er, der Begnadete, und der Schößling, der abgehauen wurde, war sein Bruder Mar Schemschi . . ." [53])

Mar Schemschi ist hier ein Bild des Erbes aus dem Alten Bund, das zwar selbst nicht mehr lebensfähig ist, das die Kirche aber als wertvollen Schatz hütet. Nachdem sie von den kräftezehrenden Fesseln des Gesetzes befreit wurde, beginnt sie mächtig zu wachsen. Auch Simeon als Bild der Kirche wächst erst nach dem Tode seines Bruders in den Mittelpunkt der Welt: „Als ob ein himmlischer Befehl aus der Höhe über die ganze Welt ergangen wäre, zog eine Menschenschar ohne Zahl aus und kam herbei, die Berge wurden bedeckt, die Wege füllten sich, und niemand konnte etwas anderes sehen als diese Menschen . . ." [54])

b) Der Abstieg in die Erde

Von den Worten des Evangeliums im Innersten getroffen, fällt jede Zuwendung zu weltlichen Gütern von Simeon wie ein herbstliches Blatt ab. Der erste Schritt, die Aufgabe des elterlichen Erbes, vollzieht sich ohne Mühe, bereits in der inneren Freiheit, die über alle Interessenkonflikte erhaben ist. Sein Wille ist nur auf das eine Ziel gerichtet, seinem Leib bis in die letzte Faser das Wort Gottes einzuprägen, und dieses Gotteswort gestaltet ihn zu einem Samenkorn, das zuerst seine Einzelung finden muß und hier bis an die Todesgrenze in die Erde fällt, bevor sein Sproß machtvoll in die Höhe treibt. So ist der erste Abschnitt von Simeons Mönchsleben, seine Zeit im Kloster, gekennzeichnet von strengem Fasten, häufigem nächtelangem Stehen, dem Einschnüren des Leibes mit einem rauhen

Palmstrick und schließlich dem Abstieg in die Erde. Die Intensität aber, mit der er diese ersten Schritte unternimmt, stellt ihn unmittelbar und ohne Vorbereitung mitten auf den Weg der großen Asketen, auf dem jedes Ausruhen ein Rückfall, ja geradezu ein tödliches Abgleiten bedeutet. Seine Klosterbrüder erkannten dies und sie versuchten daher immer wieder, teilweise sogar mit Gewalt, sein Fortschreiten zu verlangsamen.

Nach Theodoret lebte Simeon nach seiner Begegnung mit dem Evangelium zuerst zwei Jahre mit Asketen in seiner Nachbarschaft. Dann trat er in eine Zweigniederlassung des nordsyrischen Klosters Teleda [55]) ein, dem der „ehrwürdige Heliodoros" vorstand, „der 65 Jahre lebte, davon 62 Jahre eingeschlossen verbrachte, denn nachdem er drei Jahre von seinen Eltern aufgezogen wurde [56]), trat er in jene Herde ein, ohne daß er jemals etwas von dem, was in der Welt geschieht, gesehen hätte. Er kenne, so sagte er, nicht einmal das Aussehen der Schweine, der Hähne oder ähnlicher Dinge . . . Nachdem zu diesem der geübte Streiter der Frömmigkeit gekommen war, verbrachte er zehn Jahre im Kampfe und hatte achtzig Mitstreiter, die er alle übertraf: Während die anderen alle zwei Tage sich an Nahrung labten, blieb er die ganze Woche nüchtern; trotz des beständigen Mißfallens und Widerstrebens der Vorgesetzten und des Vorwurfes der Unordnung überzeugten ihn die Erklärungen nicht, noch konnten sie seinen Eifer zügeln" [57]).

Ein allzu strenges Fasten betrachtete die Kirche stets mit Zurückhaltung, da es allzu leicht von seiner Beziehung auf das Heilsgeschehen in den Bereich einer moralisch-ethischen Bewährung gleitet [58]). Der Sinn des Fastens liegt, wie bereits früheste Zeugnisse zeigen, in der körperlichen Erfahrung des Erlösungsganges. So werden schon in der Didache der Mittwoch und der Freitag als Fasttage genannt [59]). Es sind die Tage, an denen der „Wegnahme des Bräutigams" [60]) gedacht wird, denn am Mittwoch wurde der Tod des Herrn im Hohen Rat von Jerusalem beschlossen, und am Freitag hat Christus diesen Tod am Kreuz erlitten [61]). Der Samstag und der Sonntag waren in der Regel keine Fasttage, da an ihnen die Beendigung der Schöpfung und ihre Erneuerung durch Christus gefeiert wurde.

In der von Theodoret für das Kloster Teleda beschriebenen Praxis dürften der Montag, der Mittwoch und der Freitag als Fasttage gelten, eine Praxis, die zu dieser Zeit im Osten verbreitet war [62]). Simeon fastet im Widerspruch zu dieser Regel an sämtlichen Wochentagen und geht so periodisch im körperlichen Schwinden der Kräfte und einer Zunahme des Hungers dem Tag der Erneuerung der Welt durch Christus, dem sonntäglichen Auferstehungstag, entgegen. Die körperliche Stärkung wird ganz auf dieses Ereignis bezogen, doch ist sie keine Sättigung, sondern der Beginn eines weiteren Ganges, der über das körperlich empfundene Hungern das Bewußtsein wachhält, daß es im geistigen Bereich, in der Annäherung an Gott, keine Sättigung geben kann. Christus selbst hat sich im Altarsakrament den Gläubigen als Speise vermacht, doch nicht, um sie in einer glückseligen Vereinigung mit ihm zu sättigen, sondern, um in dieser periodischen Speisung den Hunger nach ihm und nach seiner Wiederkehr zu vertiefen. Dies beschreibt der heilige Columban folgendermaßen: „. . . Angenehm und milde ist der Herr; obwohl wir ihn essen und trinken, so haben wir doch immer Hunger und Durst, denn unsere Speise und Trank können niemals vollständig verzehrt und getrunken werden; obgleich er verzehrt wird, wird er nicht aufgebraucht (qui licet sumitur non consumitur), obgleich er getrunken wird, nimmt er nicht ab, denn unser Brot ist ewig und unser Quell dauernd, unser Quell ist süß. Deshalb sagt der Prophet: ‚wenn ihr dürstet, dann geht zur Quelle' [63]). Für die Dürstenden, nicht für die Gesättigten, ist dieser Quell, und deshalb ruft er die Hungernden und die Dürstenden, die er an anderer Stelle glücklich gepriesen hat [64]), zu sich [65]), diejenigen, die niemals genug trinken können, sondern je mehr sie schöpfen desto mehr auch dürsten . . ." [66]).

Die Schärfe, mit der Simeon seine asketischen Übungen begann, birgt die abgründige Gefahr in sich, sehr schnell in den

Bereich einer routinemäßigen Bedürfnislosigkeit zu gelangen, die den Hunger kaum mehr empfinden läßt. An diesem Punkt schlägt die Askese leicht in das Bewußtsein des Könnens über, ja sogar in die Illusion, bereits auf Erden einen überirdischen Zustand erreicht zu haben, doch damit verliert sie ihren sinnhaften Bezug auf das Heilsgeschehen in der Welt. Hier aber beginnt der Fall eines jeden Asketen, eine Erfahrung, die die frühen Mönche immer wieder gemacht hatten. Ausführlich berichtet Johannes von Lycopolis das Abgleiten eines Eremiten, der schon beinahe den Zustand himmlischer Seligkeit auf Erden erreicht hatte, dann aber in seinen Mühen nachließ:

„Es war einmal ein anderer Mönch, der sich in der innersten Wüste eingerichtet und in vielen Jahren die Tugenden glücklich geübt hatte. Schließlich im hohen Alter angelangt, erfuhr er die Nachstellung der Dämonen. Ganz und gar liebte der Asket die Seelenruhe und, indem er den ganzen Tag in Gebeten, Hymnen und vielen Betrachtungen verbrachte, sah er einige Gesichte von äußerster göttlicher Klarheit, dies sowohl im wachen Zustand, als auch im Schlaf. Und beinahe trug er bereits eine Spur des körperlosen Lebens, indem er die Erde nicht bebaute, keinerlei Sorge um seinen Lebensunterhalt hatte, nichts unter den Kräutern suchte, was die Bedürfnisse seines Leibes ernährt hätte, nicht einmal unter den Gräsern, er übte weder die Jagd nach Vögeln, noch nach irgendeinem anderen Tier aus, sondern, erfüllt vom Vertrauen auf Gott, verwendete er von dem Augenblick an, an dem er von der bewohnten Erde dorthin gezogen war, keinen Gedanken mehr dafür, wie er die Ernährung seines Körpers weiterführen sollte, sondern, indem er alles der Vergessenheit anheimgab, hielt er sich selbst aufrecht, indem er im äußersten Verlangen nach Gott ausharrte und den Weggang aus der Welt erwartete, und meistens wurde er von der Wonne an den Dingen, die man nicht sieht und die man erhofft, ernährt. Und, weder zehrte sich sein Körper im Laufe der Zeit aus, noch war seine Seele mutlos, sondern in einer ehrwürdigen Beständigkeit bewahrte er die edle Haltung. Indessen belohnte ihn Gott und gewährte, daß nach einem bestimmten Zeitabschnitt von zwei oder drei Tagen ein Brot auf dem Tisch erschien und wirklich war und zu gebrauchen war, und es trat jener in die Höhle ein, sobald er das Bedürfnis des Körpers spürte, fand die Speise, und, nachdem er knieend gebetet hatte und reichlich gesättigt war, erfreute er sich wieder an den Hymnen, indem er sich beharrlich dem Gebet und der Schau hingab, täglich mehr aufblühte und sich dem Gegenwärtigsein der Tugend und dem Bevorstehenden der Hoffnung anheimgab, schritt er unentwegt zum Höchsten weiter; und beinahe konnte er mit Zuversicht auf sein bestes Los hoffen, so wie wenn er es bereits in Händen hielte. Dies wurde ihm auch zuteil, nachdem er aus der ihn nach all dem überkommenden Versuchung beinahe herabgestürzt wäre. Warum aber berichten wir nicht seinen, von einer Kleinigkeit ausgehenden Fall? Als er nämlich in diese Zuversicht gelangte, blieb ihm verborgen, daß er sich für mehr hielt als die Vielen, so wie wenn er sich gegenüber den anderen Menschen etwas Höheres erworben hätte, und in diesem Zustand vertraute er schließlich auf sich selbst. Es entstand in kurzer Zeit in ihm zuerst eine kleine Lässigkeit, so klein, daß man sie nicht einmal für eine Lässigkeit hält; darauf wächst die Sorglosigkeit etwas höher, darauf so weit, daß sie auch gespürt werden kann. Sogar vom Schlaf erhebt er sich nämlich saumseliger zu den Hymnen, die Verrichtung der Gebete ist träger, der Hymnengesang nicht so ausgedehnt, und die Seele wollte, sagt er (Johannes von Lycopolis), ausruhen, der Geist neigte sich nach unten, die Gedanken erlitten schon einige Wirbel und irgendwie spielte sich eine im Innersten verborgene Verkehrtheit ein. Allerdings führte die Gewohnheit aus der Vergangenheit den Asketen gewissermaßen weiter, wie ein Schwung aus jener heftigen Bewegung, und bewahrte ihn noch eine Zeitlang. Als er einmal gegen Abend von den gewohnten Gebeten zurückkam, fand er auf dem Tisch das ihm von Gott verliehene Brot und nahm es zu sich. Indessen legte er jene Verkürzungen nicht ab und dachte auch nicht darüber nach, daß die Versehen den Eifer lähmen, und er wandte sich auch nicht der Heilung des Übels zu, sondern betrachtete es als Kleinigkeit, ein wenig seine Pflichten vernachlässigt zu haben. Daraufhin führte ihn eine Lust, die rasch Begierden an sich gerissen hatte, in den Vorstellungen weg in die Welt. Gleichwohl hielt er sich einstweilen bis zum folgenden Tag, der gewohnten Askese zugewandt, betend und Hymnen singend, und fand, als er in die Höhle eintrat, das Brot vorgelegt, allerdings nicht mehr so sorgfältig und rein, sondern bereits irgendwie beschmutzt. Er wunderte sich und wurde irgendwie bestürzt, gleichwohl bekam er es und nahm es zu sich. Es kam die dritte Nacht, und dreifach bürdete sich das Übel auf. Schneller schleuderte nämlich sein Geist die Vorstellungen herab, seine Erinnerung wob zugleich zusammen, als ob ein Weib zugegen sei und bei ihm liegen würde, und er hatte die Tat vor Augen, wie wenn er in ihrer Ausführung ganz zum Ziele gelange. Er schritt in gleicher Weise auch am dritten Tag zum Werk, zum Gebet und zu den Hymnen, doch hielt er schon die Betrachtungen nicht mehr rein, sondern ununterbrochen wandte er sich um und war von Angst erfüllt, wobei er die Augen hierhin und dorthin heftete. Die Erinnerung an die Vorstellungen zerschnitten sein gutes Werk. Am Abend kehrte er zurück und bedurfte des Brotes. Er fand es zwar auf dem Tisch, aber so wie wenn es von Mäusen oder Hunden angenagt und nur etwas von der äußeren Rinde übriggeblieben wäre. Da seufzt er und weint, aber nicht ausreichend, nicht so viel, um die Verkehrtheit wegzuschicken. Und weil er nicht so viel gegessen hatte, wie er wollte, konnte er auch nicht in der Weise ausruhen. Als ihm nun dichtgedrängt die Vorstellungen aufstiegen, ihn von allen Seiten umstellten und gegen seine Einsicht ankämpften, zogen sie ihn geradewegs gefangen in die Welt fort. Er stand auf, ging in Richtung der bewohnten Welt und marschierte bei Nacht durch die Wüste. Als ihn nun der Tag einholte, und die bewohnte Welt noch weit entfernt war, und die Hitze ihn bedrückte, da wurde er schwach. Er beobachtete alle Seiten und blickte sich in seinem Horizont um, ob sich ihm irgendwo ein Kloster zeigen würde, in das er eintreten und ausruhen könnte. Eben dies trat ein, einige gottesfürchtige und fromme Brüder, die ihn als echten Vater betrachteten, nahmen ihn auf und wuschen ihm sein Gesicht und die Füße, und, nachdem sie das Gebet verrichtet und den Tisch vorgesetzt hatten, forderten sie mit Liebe auf, das, was sich vorfand, anzunehmen. Als er wieder zu Kräften gekommen war, wünschten die Brüder, daß ein Wort des Heiles von ihm zu ihnen gesprochen würde, und auf welche Weisen sie sich aus dem Knäuel des Teufels retten könnten, und wie sie über die schmutzigen Gedanken Herr werden. Er belehrte sie wie ein Vater die Kinder und ermunterte sie in den Mühen noch ein bißchen länger auszuhalten bis sie in die große Rast überwechseln würden, und, indem er ihnen noch vieles Weitere über die Askese vortrug, leistete er ihnen einen gar großen Dienst. Als er mit der Ermahnung geendet hatte, und etwas in sich gegangen war, überlegte er, wie er andere belehrend selbst unbelehrt geblieben sei. Da durchschaute er seine Niederlage und zog eilends wieder in die Wüste fort, wobei er sich selbst beweinte und sprach: ‚Wenn der Herr mir keine Hilfe gebracht hätte, so fehlte nur wenig, daß meine Seele in der Unterwelt wohnte [67]), und nur um weniges, so hätte ich mich inmitten allen Übels befunden [68]), um geringes, hätten sie mich in der Erde zu Ende gebracht [69])‘. Und es geschah an ihm das Schriftwort ‚ein Bruder, dem von einem Bruder Beistand geleistet wird, ist wie eine feste Stadt und wie eine nicht zu stürzende Mauer‘ [70]). Von da an verbrachte er forthin das ganze Leben in Trauer, büßte den von Gott gegebenen Tisch ein und beschaffte sich in Mühsal sein Brot. In die Höhle eingeschlossen, Sack und Asche unter sich ausgebreitet, erhob er sich nicht vorher von der Erde noch hörte er auf zu klagen, als bis er im Traum die Stimme eines Engels hörte, der zu ihm sprach: ‚Gott hat deine Buße angenommen und sich dir erbarmt; und künftighin sieh dich vor, daß du nicht in die Irre geführt wirst. Es werden die Brüder, die du belehrt hast, kommen und dich ermuntern, und sie werden dir reichliche Gaben bringen. Wenn du diese in Empfang genommen hast, werde ihrer gemeinsam mit ihnen teilhaftig und immerfort sollst du Gott Dank sagen'." [71])

Aus der weitgehenden, jahrelangen Einschränkung der Nahrungsaufnahme droht dem Asketen die heimliche Versuchung, sich selbst bereits im Diesseits dem körperlosen, engelgleichen Zustand genähert zu haben und so über den anderen Menschen zu stehen. Da damit ein Grundelement der Askese, das Bewußtsein der Gebundenheit an den irdischen Leib wachzuhalten, aufgegeben wird, müssen an diesem Punkt Nachlässigkeiten auftreten, die den Sturz des Asketen einleiten. Um die Eremiten vor dieser Selbstsetzung zu schützen, haben, wie Cassian berichtet, einige Mönchsgruppen in der Sketis die Regel aufgestellt, täglich wenigstens einen Tropfen Öl ihrer Nahrung beizumischen: „Nachdem wir, was die Feier des Tages erforderte, beendet hatten und die Versammlung der Gemeinde entlassen war, kehrten wir zur Zelle des Greises zurück und wurden als erstes auf besonders ansehnliche Weise gestärkt. Denn anstelle der Salzlake, die er mit einem Tropfen Öl der täglichen Mahlzeit beizugeben pflegte, mischte er etwas Fischtunke und goß etwas reichlicher Öl als gewöhnlich darüber. Diesen Tropfen Öl nämlich träufelt jeder deshalb in seine tägliche Mahlzeit, nicht daß er durch diesen seinen Geschmack eine gewisse Milde erreiche, . . . sondern damit er durch diese Gewohnheit die Ruhmsucht des Herzens, die sich bei einer strengeren Enthaltsamkeit schmeichlerisch und heimlich einzuschleichen pflegt, und die Regungen des Stolzes abstumpfe, denn je verborgener die Enthaltsamkeit selbst geübt und vor keinem Menschen ausgeführt wird, desto gründlicher läßt sie nicht davon ab, den, der sie verbirgt, in Versuchung zu führen. Daraufhin stellte er geröstetes Salz und je drei Oliven hinzu. Zudem brachte er danach noch einen Korb herein mit gerösteten Kichererbsen, die sie trogalia nennen, und von denen wir je nur fünf Körner nahmen, je zwei Pflaumen und je eine getrocknete Feige. Wer nämlich in jener Wüste diese Zahl überschreitet, macht sich schuldig" [72]).

Zusätzlich zu seinem Fasten band sich Simeon einen rauhen Palmstrick um den Leib, so daß der Körper in kurzer Zeit mit einer ausgedehnten Wundfläche bedeckt war: „Ich habe jenen selbst und den, der jetzt dieser Herde vorsteht, berichten gehört, wie er einmal einen aus Palmblättern hergestellten Strick, der selbst für berührende Hände äußerst rauh ist, genommen hatte und mit ihm die Hüften gürtete, jedoch nicht außen herumgelegt, sondern direkt der Haut angeheftet; und alsdann schnürte er so fest zusammen, daß sich ringsum der ganze Teil des Körpers, der von ihm umgeben war, entzündete. Nachdem er in dieser Weise mehr als zehn Tage verbracht hatte, und das Geschwür, das schlimmer wurde, Blutstropfen herabfallen ließ, fragte jemand, der es beobachtete, was die Ursache des Blutes sei. Als er sagte, er hätte nichts beschwerliches, führte der Mitstreiter mit Gewalt die Hand heran, erkannte die Ursache und teilte dies dem Vorsteher mit. Gleich darauf nun machte er ihm Vorwürfe, ermahnte ihn, verwarf die Härte der Tat und mit Mühe löste er jenes Band. Aber er konnte ihn nicht in gleicher Weise dazu überreden irgendein Heilmittel jenem Geschwür aufzulegen. Als sie sahen, daß er noch andere ähnliche Dinge vollbrachte, befahl man, daß er jene Ringstätte verlasse, damit er nicht für diejenigen zur Ursache des Verderbens werde, die mit einem schwächeren Körper ausgestattet das, was über die Kraft geht, nachzuahmen versuchten.“ [73])

Während in der syrischen Vita das Einschnüren des Leibes nur kurz erwähnt wird [74]), berichtet die Lebensbeschreibung des Antonius ausführlich über dieses Ereignis. Sie macht auch deutlich, daß Simeon mit dieser Tat keine willkürliche Kasteiung des Leibes betreibt, sondern daß er seinem Körper das Bild der äußeren Todesverfallenheit der Welt und des menschlichen Fleisches einzeichnet. Wie das rauhe Seil umklammert die Erbschuld den Leib des Menschen und reißt in sein Fleisch die eiternde und von Würmern bedeckte Wunde des Todes. Der Mensch ist in dieser Verwundung von Gott getrennt und kann nicht durch eigene Macht, sondern nur durch die entgegenkommende Gnade Gottes gerettet werden. Weil aber Simeon mit der Einschnürung des Leibes keine individuelle Schuld abbüßt, dringt er mit seiner Tat bis an die äußersten Grenzen der Gottesfurcht vor, bis zur vollständigen Auslieferung an den Spruch Gottes.

Antonius berichtet, daß Simeon mit einem Brunnenseil seinen ganzen Leib ein Jahr hindurch zusammengeschnürt hatte. Sein Fleisch vereiterte und verbreitete einen solchen Geruch, daß niemand sich in seiner Nähe aufhalten konnte. Seine Lagerstätte war voll von Würmern. Zudem verschenkte er wochentags seine Mahlzeit an Arme und nahm nur am Sonntag Nahrung zu sich [75]). All dies wurde von einem Mitbruder dem Archimandriten gemeldet. Dieser befragte Simeon und, als er keine Antwort bekam, befahl er ihn zu entkleiden. „Sie wollten ihn nun entkleiden, doch konnten sie es nicht; sein Gewand war nämlich infolge des faulenden Fleisches angeklebt. Während dreier Tage hörten sie nun nicht auf, ihn mit lauwarmem, mit Öl vermischtem Wasser zu durchtränken, und auf diese Weise konnten sie ihn mit vielen Qualen entkleiden, da ja mit dem Gewand das verfaulte Fleisch abgezogen wurde, und sie fanden das herumgeschlungene Seil in seinem Körper so, daß nichts von ihm, außer den Seilenden allein, sichtbar war. Von den Würmern, die auf ihm waren, kann man sich kein Bild machen. Da gerieten alle Mönche über ihn in Verwunderung, als sie jene unheilbare Wunde sahen, und sie sprachen zu einander, wie und mit welchem Kunstgriff sie das Seil von ihm wegnehmen sollten. Der heilige Simeon aber rief aus: ‚Verzeiht mir, Brüder, meine Herren, laßt mich, den stinkenden Hund, so sterben, denn wegen meiner Taten mußte ich auch so verurteilt werden: alle Ungerechtigkeit und Begierde sind mit mir geboren, ich bin das Meer der Sünden!‘ Die Mönche und der Archimandrit weinten, als sie diese unheilbare Wunde sahen. Und der Archimandrit sprach zu ihm: ‚Du hast noch keine 18 Jahre erreicht, und welche Sünden hast du?‘ Der heilige Simeon sprach zu ihm: ‚Der Prophet David sagt: Siehe, in Unrecht bin ich gezeugt, in Sünden empfing schon meine Mutter mich [76]). Und von all dem Gleichen bin ich bedeckt.' Der Archimandrit war von seiner verständigen Antwort betroffen, weil er als Ungebildeter auf solche Weise bis hin zur Gottesfurcht durchbohrt war. Der Archimandrit rief zwei Ärzte, und mit vielen Plagen und Mühen, unter denen er normalerweise hätte sterben müssen, rissen sie von ihm das Seil von dem an ihm angeklebten Fleisch ab, und, indem sie ihn 50 Tage in Pflege nahmen, standen sie ihm der Reihe nach bei. Dann sprach der Archimandrit zu ihm: ‚Kind, siehe, du bist gesund geworden, gehe hin, wohin du willst'. [77])" Die Mönche pflegten Simeon, nach die Ursache seiner tödlichen Wunde beseitigt wurde, 50 Tage lang, also während eines Zeitraumes, der dem zwischen der Auferstehung Christi und der Aussendung des Heiligen Geistes entspricht. Dann wird er aus der klösterlichen Gemeinschaft in die Welt gesandt.

In der Furcht Gottes war Simeon ganz vom Todeswillen erfüllt, der ihn nun in die Erde hinein führte. Diese Gottesfurcht aber ist keine Angst vor Gott, die allen Lebenswillen erdrückt, sondern die vollkommene, körperliche Annahme der Todesverfallenheit der Menschheit, aus der allein von Gott die Rettung kommen kann. Nach Theodoret [78]) stieg Simeon in eine wasserlose Zisterne und sang dort das Lob Gottes. Nach fünf Tagen empfanden die Klostervorsteher Reue und ließen ihn von zwei Brüdern suchen, die ihn schließlich fanden und mit großer Mühe heraufzogen. „Der Aufstieg ist nämlich nicht ebenso mühelos wie der Abstieg." Die Rettung kam für Simeon über die von Gott geleitete Gemeinde.

Nach dem Bericht des Antonius [79]) verläßt Simeon das Kloster und geht zu einem in der Nähe befindlichen Brunnen, der ausgetrocknet und mit lebensfeindlichen, chthonischen Mächten angefüllt war, mit unreinen Geistern, Vipern, Schlangen, Nattern und Skorpionen, „so daß alle fürchteten an diesem Ort vorbeizugehen". In diesen versiegten Brunnen, einem Abbild des Abgrundes, in den der Mensch durch seinen Urfall gestürzt war, wirft sich Simeon hinab, nachdem er sich im Namen Christi bekreuzigt hatte. Nach sieben Tagen, dem Zeitraum der Schöpfungswoche, wird dem Archimandriten in einem drohenden Traum sein Verhalten gegen Simeon vorgehalten, und er bittet die Brüder, ihn zu suchen. „Und nachdem sie ausgezogen waren, suchten sie ihn an jedem Ort, und als sie ihn nicht fanden, kamen sie und sagten zum Archimandriten: ‚Wahrlich, Herr, wir haben keinen Platz unbeachtet gelassen, an dem wir nicht gesucht hätten, außer jenem Ort, an dem niemand wagt vorbeizugehen wegen der Menge der wilden Tiere.' Der Archimandrit sagte zu ihnen: ‚Kinder, sprecht ein Gebet, nehmt Fackeln, geht und steigt hinab und sucht ihn!' Als sie drei Stunden lang ein Gebet über dem Brunnen gesprochen hatten, ließen sie fünf Mönche mit Seilen in den Brunnen hinab, nachdem Fackeln befestigt waren. Als die Kriechtiere sie erblickten, flohen sie in die Winkel. Als sie der heilige Simeon sah, rief er aus und sprach: ‚Ich flehe euch an, Brüder und Diener Gottes, gesteht mir noch eine kleine Weile zu, damit ich meinen Geist aufgebe; dies würde mir genügen, denn das, was ich mir auferlegt habe, habe ich nicht erfüllt!' Die Mönche aber überwältigten ihn und brachten ihn mit viel Gewalt aus dem Brunnen, schleppten ihn wie einen Missetäter weg und führten ihn vor den Archimandriten. Als dieser ihn sah, warf er sich ihm zu Füßen und sprach: ‚Übe Nachsicht mit mir, Knecht Gottes, werde selbst mir zum Führer und lehre mich, wie die Ausdauer fest bleibt und geschenkt wird'. [80])"

Die syrische Vita berichtet von einem dreifachen Abstieg Simeons in die Erde während der Zeit seines Klosterlebens: „Als er lange Zeit mit den Brüdern zusammengewesen war, trennte er sich von ihnen. Er ging hin und grub sich eine Stelle in einem Winkel des Klostergartens bis zu seiner Brust aus, und er stand darin zwei Jahre in der starken Hitze des Sommers und in der strengen Kälte des Winters" [81]). Bei seinem ersten Abstieg in die Erde pflanzt sich Simeon wie ein Sämling in den Klostergarten. Sein zweiter Abstieg heilte ihn von einer Blindheit: Als er eines Tages vom Satan beim Beten auf die Augen geschlagen wurde, ließ er sich von keinem Arzt behandeln, sondern die Brüder mußten ihn an den Begräbnisplatz hinunterführen. Nach der Version B blieb er hier drei Tage, die der Grabesruhe Christi entsprechen, während der auch die Erde ohne das göttliche Licht blind war. Um Mitternacht, der Stunde, zu der der Bräutigam zu den auf ihn wartenden Jungfrauen kommt, erschien plötzlich ein helles Licht und heilte die Blindheit [82]). Die Version A bezieht die Blindheit auf die Quadragesima, auf die Zeit, während der sich die Kirche noch in der irdischen Beschränkung des Sehens auf das kommende österliche Licht vorbereitet: „Und nachdem er dort (in der Begräbnisstätte) dreißig Tage gewesen war und die Quadragesima beendet war, während der er mit diesem Leiden behaftet war, drang um Mitternacht plötzlich eine Art Lichtblitz in die Begräbnisstätte ein, und die ganze Begräbnisstätte wurde von ihm erhellt, und er zog an seinen Augen vorbei, und in diesem Augenblick öffneten sie sich, so wie wenn jene Krankheit sie nie erreicht hätte. Als er zum Kirchendienst hinaufging, sahen ihn die Brüder und wunderten sich" [83]). Auch als Simeon bereits auf der Säule stand, wurde ihm, wie die syrische Lebensbeschreibung berichtet, während der Quadragesima das Augenlicht für je vierzig Tage zurückgehalten [84]).

Ein drittes Mal stieg Simeon bei Nacht in die Erde hinab, und zwar an einen Ort, den selbst bei Tag niemand zu betreten wagte. Hier hatte er den Kampf mit den chthonischen Mächten Satans zu bestehen: „Weiterhin war dort ein Ort vom Kloster aus gegen Sonnenaufgang, eine Art Höhle, die sehr finster und furchterregend war, so daß selbst der, der sie bei Tag sah, von Furcht erfaßt war wegen dem Hallen des Getöses, das aus ihr herauskam. Eines Tages, zu Beginn des vierzigtägigen Fastens, ging er bei Nacht weg und trat in sie hinein und war während des ganzen Fastens in ihr. Und der Satan führte viele Kämpfe mit ihm aus. Er sammelte nämlich und führte gegen ihn Schlangen und Nattern, die zischten und fauchten, und auch eine Art von Tieren in Gestalten von Panthern und Wölfen, die brüllten und Drohstellungen gegen ihn einnahmen. Er aber, der Heilige, schenkte ihnen keinerlei Aufmerksamkeit, sondern er blickte ganz zum Himmel auf und schlug das Kreuz über seiner

Brust und über der Stelle seiner Augen und wies sie zurück ...“[85]). Am Ende der Quadragesima, die Simeon in den Abgründen der Erde verbracht hatte, fanden ihn die Brüder in der Höhle und führten ihn in das Kloster zurück.

Nachdem Simeon sich in den Klostergarten gepflanzt hatte, in der Gruft der Toten von der Blindheit geheilt worden war und in der Erdhöhle den Kampf mit den chthonischen Mächten bestanden hatte, blieb er noch ein Jahr in der Gemeinschaft des Klosters, bevor er seinem eigensten Ort, an dem sich sein Leben durch einen immer höheren Aufstieg vollenden sollte, entgegenzog. Vor Beginn der Quadragesima, der liturgischen Zeit des Übergangs von der todverfallenen Welt zu dem im österlichen Glanz erneuerten Leben, schickte ihn der Abt, der ihm freundlich gesonnen war und ihn vor seinem Tode zu seinem Nachfolger bestimmte, auf Drängen der Mönche aus dem Kloster fort, da er durch seine ungeminderte Askese das Gesetz der Klosterregel weit hinter sich ließ. In dieser Trennung wird noch einmal die Spannweite des ersten Lebensabschnittes von Simeon deutlich: Innerhalb der klösterlichen Gemeinschaft, die sich im Festhalten an ihrer Regel als Bild des unter dem Gesetz stehenden alten Bundes darstellt, zeichnet Simeon seinem Leib durch seine Askese und durch sein Eingehen in die Erde den durch die Ursünde herbeigeführten Tod ein. Er wird so zu einem Bild der jungen Kirche, die gerade in der Annahme dieses Todes aus der Bindung an das Gesetz heraustritt und zum Leben findet. Auch das Überschreiten der Klosterregel in der verschärften Askese ist keine Loslösung in eine willkürliche Freiheit, sondern die vertiefte Hinwendung zum Heilsgeschehen in der Welt. Der sehende Abt schließlich, der die Leitung des Klosters den Händen des Heiligen anvertraut, vollzieht bildhaft den Heilsplan Gottes, nach dem die von der Gesetzesgemeinde ausgestoßene Kirche zur geistigen Lehrerin der älteren Synagoge wird.

Als Wegzehrung wollte der Abt Simeon vier Denare geben, doch dieser lehnte eine solche Unterstützung ab, bat statt dessen um die Hilfe des Gebetes und zog so wie die von Christus ausgesandten Jünger in die Welt. Indem er dem ersten Pfad, auf den er stieß, folgte, gelangte er zum Dorfe Telneschil oder Telneschin, griechisch Telanissos, am Fuße des Berges, auf dessen Gipfel der Ort lag, der ihm für seinen Aufstieg bestimmt war. In diesem Dorfe bat er in dem kleinen Kloster des Maris des Sohnes des Baraton [86]), das zu dieser Zeit nur von einem Greis und einem siebenjährigen Knaben bewohnt war, um Aufnahme. Hier ließ er sich in einem kleinen Obergemach für die vierzig Tage der Quadragesima einschließen. Als die Türe vermutlich am Karfreitag [87]) wieder geöffnet wurde, war die mitgegebene Nahrung und der Krug Wasser unberührt. Der Heilige kniete und betete und wurde allein durch die ihm gereichte Hostie so gestärkt, daß er aufstand und in den Hof ging. Am nächsten Tag wollte Simeon in die Einöde ziehen, doch auf Wunsch der Anwesenden wurde ihm auf dem Gipfel des Berges eine Umfriedung gebaut, die zu seinem Ort und zu seinem Weltmittelpunkt wurde [88]).

Nach der syrischen Vita ist das vierzigtägige Fasten das von Gott gesetzte äußerste Maß, das dem Körper an Enthaltsamkeit bei seinem Übergang aus der Zeit der Todesverfallenheit zum Sieg über den Tod auferlegt werden kann: „Und unser Herr, dessen Güte wir verehren, als sein Erbarmen mit dem Gebilde seiner Hände sichtbar wurde und ihn seine Milde niederbeugte und er herabstieg, da wob er und zog den Leib an, den er selbst in seiner Güte mit seinen heiligen Händen gebildet hatte, so wie er ihn eingerichtet hat. Als er ihn in die Wüste hinausführte, wurde er versucht, das heißt geprüft und auf die Probe gestellt. Es steht geschrieben: vierzig Tage und vierzig Nächte verharrte er im Fasten und im Gebet, ohne daß er aß oder Wasser trank [89]). Soviel als seine Gottheit wußte, daß es der heilige Leib zu ertragen vermag, soviel gab sie dem heiligen Leib, den sie angezogen hat, zu ertragen. Nach den vierzig Tagen, die er im Fasten und im Gebet ausgeharrt hat, gefiel es seiner Gottheit, und er winkte dem Hunger, da kam er, und er befahl ihm, da trat er heran. Er wollte kundtun und durch Versuch erweisen, daß, wenn in Wirklichkeit sein Leib der des

Adam ist, er dem Hunger, dem Durst, der Mühsal und dem Schlaf unterworfen ist. Er richtete es ein, daß seine höchste Gottheit Gestalt annahm. Und jener Leib besiegte seinen Feind, beschämte Satan, zerstreute seine Heere, trat die Sünde nieder, erschlug den Tod und entriß der Unterwelt den Siegeskranz"[90]). Da das vierzigtägige Fasten das von Gott dem geschaffenen Leib gesetzte Siegesmaß ist, übersteht Simeon als Bild der erlösten Menschheit diese Zeit ohne besondere körperliche Hinfälligkeit wie auch Moses[91]) und Elias[92]), die Inbilder des Gesetzes und der Prophetie, die der Erlösung vorausgehen. Bereits vor seinem Eintritt in das Kloster verbrachte er diese Zeit ohne Nahrung, lediglich in der Mitte des Fastens von der heiligen Speise der Hostie gestärkt[93]).

Nach Theodoret war das vierzigtägige Fasten für Simeon anfangs ein allmähliches Schwinden der Lebenskräfte, die sich am Tag der österlichen Auferstehung erneuerten. Der Vollzug dieses Sterbens und der Auferstehung setzte sich aber nicht, wie etwa im heidnischen Adonismythos, zyklisch in einer gleichbleibenden jährlichen Wiederholung fort, in der der Tod der natürliche Gegenpol des Lebens ist, sondern strebte danach, immer weiter auf die Seite des der göttlichen Gnade entspringenden Lebens vorzudringen, in dem der Tod als die durch die Ursünde dem Menschen auferlegte Widernatürlichkeit überwunden wird. Das jährliche große Fasten Simeons ist so ein geschichtliches Weiterschreiten, dessen Jahresringe den Baum des gnadenhaften Lebens immer mächtiger werden lassen, so daß Simeon schließlich auf der Höhe der Säule die ganze Quadragesima ohne leibliche Nahrung aufrecht stehend verbringen kann.

Theodoret berichtet, daß Simeon nach seinem Abstieg in die Erde noch einige Zeit bei den Mönchen blieb und sich dann zum Dorfe Telanissos begab, wo er sich drei Jahre als Rekluse in einer Hütte einschloß. Danach wollte er, wie Moses und Elias, die vierzig Tage der Quadragesima ohne Speise verbringen, ließ sich aber dazu überreden, daß ihm, bevor seine Türe mit Lehm verschlossen wurde, zehn Brote und ein Krug mit

Wasser in seine Zelle gestellt wurde, da das Fasten zwar bis an die Todesgrenze, aber nicht bis zum selbst auferlegten Tod führen darf. Als die Türe wieder geöffnet wurde, fand man die Speisen unberührt und den Heiligen wie leblos am Boden liegen. Er konnte weder sprechen noch sich bewegen. Sein Mund wurde mit einem Schwamm benetzt und gereinigt, und es wurden ihm die Gestalten der göttlichen Mysterien gereicht. Darauf erhob er sich und nahm noch etwas Speise zu sich [94]. „Seit dieser Zeit also bis heute, es sind 28 Jahre verflossen, bleibt er die vierzig Tage ohne Nahrung. Aber die Zeit und die Übung haben den größten Teil der Mühe genommen. Er pflegte nämlich die ersten Tage zu stehen und Gott zu preisen. Wenn dann der Körper wegen des Fastens das Stehen nicht mehr aushielt, so setzte er sich nunmehr und verrichtete den göttlichen Dienst. In den letzten Tagen legte er sich sogar nieder. Weil nämlich die Kraft allmählich aufgebraucht und erlöscht war, wurde er gezwungen halbtod dazuliegen. Seitdem er sich aber auf die Säule gestellt hat und ein Herabsteigen nicht zulassen wollte, ersann er eine andere Art zu stehen. Er befestigte einen Balken an der Säule und band sich wiederum mit Stricken an den Balken und verbrachte so die vierzig Tage. Nachdem er nunmehr von oben noch größerer Gnade teilhaftig geworden war, hatte er selbst dieses Hilfsmittel nicht mehr nötig, sondern er steht die vierzig Tage ohne Speise zu genießen, von seinem Eifer und der göttlichen Gnade gestärkt“ [95]).

Die Lebensbeschreibung des Antonius berichtet den Weggang Simeons aus dem Kloster und seine Ankunft am Ort seines Aufstiegs nur kurz. Nach der hauptsächlich griechisch überlieferten Version blieb er noch drei Jahre im Kloster [96]) und zog dann auf seinen Berg bei Telanissos, wo er vier Jahre in der Umfriedung stand [97]), der Kälte und der Hitze ausgesetzt, bevor er auf seine erste Säule stieg [98]).

c) Der Aufstieg

Auf der Höhe des Berges angekommen, läßt Simeon seinen Ort zuerst durch eine Umfriedung begrenzen, die er bis zu seinem Tode nicht mehr verläßt. Um sich aber noch fester an diesen Ort zu binden, schmiedet er sich mit einer Kette an einen Stein. Dies schildert Theodoret folgendermaßen: „Nachdem er also, wie gesagt, drei Jahre in jener Hütte verbracht hatte, setzte er sich auf diesem bekannten Berggipfel fest. Er befahl einen ringförmigen Wall zu errichten, legte eine zwanzig Ellen lange Eisenkette zurecht und schmiedete das eine Ende an einen sehr großen Stein, das andere machte er an seinem rechten Bein so fest, daß er, selbst wenn er wollte, sich nicht außerhalb dieser Grenzen begeben konnte. Innerhalb verbrachte er die Zeit damit, daß er ununterbrochen den Himmel vor sein inneres Auge rief und sich zur Schau des über den Himmeln Befindlichen anhielt. Den Flug der Gedanken nämlich hemmt die eiserne Fessel nicht. Als nun der wundervolle Meletios, der zu dieser Zeit als Bischof den Distrikt der Stadt Antiochien leitete, ein verständiger Mann mit glänzendem Verstand und mit Geistesgegenwart geziert, sagte, daß das Eisen überflüssig sei, da die Gesinnung ausreiche, um dem Körper geistige Bande anzulegen, gab er nach und nahm bereitwillig den Rat an, befahl, daß ein Schmied herbeigerufen wird und trug auf, die Fessel zu lösen. Es war nun ein Fellstück dem Schenkel angepaßt, damit der Körper nicht vom Eisen verletzt würde, und auch dieses mußte, weil es nämlich zusammengenäht war, auseinandergerissen werden, da soll man mehr als zwanzig übergroße Wanzen darin versteckt bemerkt haben [99]), auch der wundervolle Meletius sagt, dies gesehen zu haben. Ich aber erwähne dies, um auch hiermit die große Ausdauer des Mannes aufzuzeigen. Obwohl er mit der Hand das Fellstück zusammendrücken konnte und alle mühelos hätte vernichten können, ertrug er standhaft die lästigen Stiche, indem er in kleinen Dingen die Übung für die größeren Kämpfe freudig erfaßte“ [100]).

Nach der syrischen Vita wird die Fesselung an den Ort des Aufstiegs mit einer großen Einschließung in die Umfriedung verbunden und damit in ihrer bildhaften Aussage verstärkt. Vor dieser Einschließung lebte Simeon bereits etwa eineinhalb Jahre auf dem Berggipfel. Als das erste Jahr vergangen war, ließ er, wie von nun an während der ganzen Zeit seines Lebens, für die vierzig Tage der Quadragesima die Türe seines umzäunten Bezirkes schließen. Anschließend vollbrachte er eine Reihe von Wundern und wurde verschiedene Male vom Satan, der in Gestalt von Schlangen und Drachen erschien, in Kämpfe verwickelt [101]). „Danach hatte er die Absicht, sich drei Jahre abzuschließen, daß er niemanden sähe und auch niemand ihn. Und er machte sich eine Kette, die 20 Ellen hatte, und legte sie an seinen Fuß und befestigte sie an einem Stein. Es kam aber der heilige und Gott liebende Mar Bassus und der Priester des Dorfes hinzu, und sie redeten ihm mit Eindringlichkeit zu, und er teilte diese drei Jahre zur Hälfte . . .“ [102]). Da Simeon zu Beginn der großen Einschließung bereits etwa eineinhalb Jahre in der Umfriedung lebte, darf wohl angenommen werden, daß Mar Bassus den Heiligen dazu überredete, mit der Einschließung die ersten drei Jahre seiner Verortung auf dem Berggipfel zu vollenden. Damit wird diese Zeit in ihrer Entsprechung zu den drei Tagen der Grabesruhe Christi und zur Errichtung des neuen Gottestempels zu einem Bild des Durchgangs entlang den Gefahren des Todes hin zur ersten Stufe des großen Transcensus, des Überstiegs zur Höhe des Weltmittelpunktes. Dieser Durchgang vollzieht sich in einer immer stärkeren Bindung an den Ort des künftigen Aufstiegs.

Die Zeit der Abschließung ist vor allem eine Zeit des Kampfes mit dem Satan, der die Todesfurcht und die Lüsternheit in dem Heiligen zu erwecken versucht, doch erweisen sich seine Schöpfungen letztlich stets als Illusionen. Besonders Jakob von Sarug gestaltet diese dämonischen Erscheinungen in seinem Lobgedicht auf Simeon dramatisch aus. Es erschallt Donner, Weinen, Kampfeslärm und ein Getöse, als ob Felsblöcke zertrümmert würden. Bewaffnete Soldaten erscheinen, dann ein lüsternes Kamel, ein schönes Weib, ein brüllender und feuerspeiender Löwe, der den irdischen Staub bis zum Himmel auftürmt, ferner Schlangen, Skorpione, Mäuse, Ratten und allerlei häßliches Gewürm, die den Wasservorrat während der Sommerhitze ungenießbar machen, doch nach einem langen Gebet sprudelt eine kühle und klare Quelle zur Rechten des Heiligen hervor. Alle diese satanischen Schöpfungen müssen durch die Gebete des Heiligen ihre illusionäre Unwirklichkeit offenbaren und verblassen wie der Dunst des Rauches. Am Ende dieser Kämpfe mit Satan erscheint ein schöner Mann, der Simeon die tiefen Verbeugungen beim Gebet, die er zeit seines Lebens beibehält, lehrt, und von denen auch Theodoret berichtet: „... Bald steht er lange Zeit aufrecht, bald beugt er sich häufig nieder und bringt Gott die kniefällige Verehrung dar. Viele der dort Anwesenden zählen die Verbeugungen. Einer meiner Begleiter hatte 1 244 gezählt, dann strauchelte er und hörte mit der Zählung auf. Wenn er sich niederbückt, neigt er stets die Stirne bis zu den Zehen. Denn nur einmal in der Woche bekommt sein Magen Nahrung und dies nur wenig, so ist es seinem Rücken gestattet, sich mit Leichtigkeit zu beugen“ [103]).

Nachdem Simeon allen dämonischen Scheinbildern widerstanden hatte, drohte ihm als letztes der Tod durch die Hand des Menschen, denn gegen Ende der Abschließung drangen um Mitternacht, dem Höhepunkt der Dunkelheit, drei Räuber in die Umfriedung ein, die den Heiligen erschlagen wollten. Der umgrenzte Bezirk auf der Höhe des Berges war aber durch die Gebete geheiligt und uneinnehmbar, und so wurden die Eindringlinge auf ihre Plätze gebannt, und sie standen reglos in der Nacht und den ganzen folgenden Tag hindurch. Erst nachdem Simeon sie dreimal angerufen hatte, konnten sie ihre Füße von der Fessel der Erde losreißen und sich entfernen. Als die Türe nach eineinhalb Jahren wieder geöffnet wurde, und dem Heiligen die Hostie gereicht war, fand man den Trog mit Linsen, die als Nahrung für die Zeit der Einschließung in die Umfriedung gestellt waren, noch voll. Diese Speise wurde als Segensspende von der dritten bis zur neunten Stunde, der Zeit Christi am Kreuz, dem Volk in großer Menge ausgeteilt, ohne daß das Gefäß leer wurde [104]). Die Leidenszeit des Herrn am Kreuz bringt der Menschheit die unversiegbare Fülle der Nahrung aus dem heiligen Bezirk. Obwohl der Text es nicht ausdrücklich angibt, dürfte aus dieser Zeitangabe zu entnehmen sein, daß die Türe der Umfriedung, wie auch sonst nach den Einschließungen, am Karfreitag geöffnet wurde [105]).

Nach dieser großen Einschließung, die die Zeit der Einbindung abschloß, erhob sich Simeon auf die erste Stufe seines Transcensus, seines Überstiegs über seinen Ort auf dem Berggipfel: „Danach legte er sich einen Stein hin, um sich auf ihn zu stellen, der hatte vier Fuß und zwei Ellen Höhe“ [106]). Daß diese Handlung zur Zeit Simeons in der Ostkirche verstanden wurde, zeigt das Gedicht Jakobs von Sarug über die Vision des alttestamentlichen Urvaters Jakobs in Bethel, die in Gen. 28,11–22 geschildert wird: Der Stein, den Jakob salbte, nachdem sein Haupt während der Nacht auf ihm ruhte, ist ein Bild der Kirche. Der Schlaf Jakobs bedeutet den Tod Christi, der sich durch diesen Tod die Kirche erwarb. Die auf diesem Stein im Traum erblickte Himmelsleiter ist ein Zeichen des Kreuzes, der wundervollen Leiter, auf der die Menschen zum Himmel steigen. Das Öl, das Jakob mit dem Lichte des Morgens über den Stein goß, ist Christus, der sich mit der Kirche vermählt, und diese vorbildhafte Vermählung muß Jakob durchführen, bevor er zu seiner eigenen weiterzieht. Im Hause Labans entbrennt Jakob in Liebe für die jüngere und hübsche Tochter Rachel, ein Bild der Kirche, doch er wird zuerst mit der älteren Lea, dem Alten Bund, vermählt [107]). Simeon, der wie Jakob als der jüngere Bruder ein Bild des neuen Gottesvolkes ist, stellt sich auf das Fundament des Steines, auf die Kirche, die die aus ihrer Vermählung mit Christus geborenen Heiligen immer höher in dên Weltmittelpunkt hebt.

Als Simeon fünf Jahre auf dem Stein gestanden war, starb sein Bruder Mar Schemschi [108]), der, wie bereits erwähnt [109]), ein Bild des Alten Bundes ist. Diese fünf Jahre entsprechen den fünf Schöpfungstagen vor der Erschaffung des

Menschen und den fünf Tagen der Karwoche vor der Neuschaffung der Welt durch den Tod Christi, der Zeit der Annäherung an Gott, bevor die Schöpfung am sechsten Tage zu ihrer größten Gottesnähe gelangte. Nach dem Tod des Bruders beginnt „die Menschenschar ohne Zahl" wie auf einen himmlischen Befehl bei Simeon zusammenzuströmen [110]). Auch Theodoret berichtet dieses Zusammenströmen, ohne jedoch den Aufstieg auf den Stein und den Tod des Bruders zu erwähnen. Er vergleicht es mit einzelnen Flüssen, die sich wie in einem Meer um den Heiligen sammeln: „Weil sie nun von überall herbeikommen, und weil jeder Weg einem Flusse gleicht, so kann man an jenem Ort ein Meer von Menschen versammelt sehen, das die Flüsse von überallher aufnimmt. Denn nicht allein die Bewohner unseres Reiches strömen zusammen, sondern auch die Ismaeliten [111]), die Perser, die Armenier, die von diesen unterworfen sind, die Iberer [112]), die Homeriten [113]) und solche, die noch weiter im Innern wohnen. Es kommen aber auch viele, die im äußersten Westen wohnen, herbei, Spanier, Briten und Gallier [114]), die zwischen diesen sich befinden. Von Italien ist es überflüssig zu reden, denn man sagt, daß er im großen Rom so berühmt geworden sei, daß in allen Vorräumen der Werkstätten ihm kleine Bilder aufgestellt seien, die ihnen einen gewissen Schutz und Sicherheit verschaffen sollen" [115]).

Dieses Zusammenströmen der Menschen von überallher bringt Simeon nach Theodoret in die Gefahr, bereits lebend als Reliquie behandelt zu werden, so als ob die Umgestaltung des Leibes zu einem Bild des erlösten Menschen schon zu Lebzeiten vollendet sein könnte. Diesem Zugriff mußte sich der Heilige entziehen, da sonst sein Lebensweg nicht nur zum Stillstand gekommen, sondern in einen Sturz übergegangen wäre. Er entflieht den Menschen aber nicht räumlich in die Einöde, sondern in die Höhe und bleibt so mitten unter ihnen: „Nachdem nun die Herbeikommenden zahlenmäßig gewaltig wurden, und alle ihn zu berühren und irgendein segenbringendes Stück aus seinen Pelzgewändern an sich zu nehmen versuchten, da hielt er als erstes den Überschwang der Verehrung für widersinnig, dann war er auch unwillig über das Belästigende des Zugriffs und ersann das Stehen auf der Säule. Zuerst befahl er sechs Ellen zu behauen, dann zwölf, darauf zweiundzwanzig, nun aber sechsunddreißig; er trachtet nämlich danach zum Himmel aufzufliegen und sich von diesem irdischen Getriebe loszumachen“ [116]).

Nach der syrischen Vita stand Simeon insgesamt zehn Jahre in der Ecke der Umfriedung, bevor sein Aufstieg auf immer höhere Säulen begann: „Er trieb sich an, verausgabte sich und mühte sich vor seinem Gott durch unsäglich strenges Fasten, durch kräftige Gebete ohne Ende (B: die unwiderstehlich waren), bei Hunger und Durst, Hitze und Kälte, zu jeder Zeit ohne Unterlaß, durch beständiges Flehen und immerwährendes Stehen; denn keinen Schlaf gönnte er seinen Augen, keine Erholung seinem Leib 56 Jahre bei Nacht und bei Tag: Im Kloster verbrachte er nämlich neun Jahre mit wunderbarer Lebensführung und hartem Dienst. Dies haben wir oben beschrieben und berichtet. In der Umfriedung in Telneschin wiederum war er 47 Jahre: In der Ecke der Umfriedung stand er nämlich zehn Jahre, unter diesen in der Abschließung in häufigem Streit, im Kampf und in der Schlacht mit dem Feind. Daraufhin stand er sieben Jahre auf diesen kleinen Säulen von 11 Ellen, von 17 Ellen und von 22 Ellen, und auf der mit 40 Ellen [117]) stand er 30 Jahre. Und unser Herr gab ihm Kraft und Ausdauer, und er beschloß auf ihr die Tage seines Lebens in Frieden und Heil und mit den Taten der Rechtschaffenheit“ [118]).

Die 56 Jahre, die Simeon von seinem Getroffensein durch das Wort Gottes bis zu seinem Tode in einer asketischen Lebensführung verbrachte, die dieses Gotteswort in seinem Leib Fleisch werden ließ, sind in verschiedene, in ihrem inneren Sinn auf das Erlösungsgeschehen bezogene und teilweise ineinander verflochtene Abschnitte gegliedert. Die ersten neun Jahre im Kloster, in denen Simeon dreimal in die Erde hinabsteigt, so wie auch Christus am Ölberg sich unter der Todeslast dreimal im Gebet an den Vater auf die Erde niederbeugt und auf dem Weg zum Richtplatz dreimal unter dem Kreuz niederfällt, sind die Jahre der Annäherung an die Todesgrenze und an den Todesort der Menschheit, und entsprechen den neun Stunden Christi von seiner Verurteilung im frühen Morgengrauen bis zu seinem Tode in der neunten Stunde. Die durch die Urschuld erworbene Todesverfallenheit des Menschen führt aber in den Maßen des Erlösungsganges nicht mehr zum Tode, sondern zum Leben. Auch die zehn Jahre, die Simeon in der Ecke der Umfriedung steht, und die äußerlich der Zahl der Sinaigebote entsprechen, werden durch einen inneren Rhythmus mit dem Aufstieg auf die Säulen verflochten: „Nicht auf gewöhnliche Weise machte sein Herr ihm den Ausgang, und er verbarg vor ihm auch nicht den Tag seiner Krönung; er offenbarte ihm nämlich auf die Art, wie ich erzählen werde: Als er sieben Jahre in der Umfriedung gewesen war, erschienen ihm zwei Männer und standen vor ihm in strahlend herrlicher Gewandung. Einer von ihnen hielt eine Rute in seiner Rechten und maß mit ihr vierzig Ruten, und er wandte sich zu seinem Gefährten und sagte ihm: ‚Wenn diese Zahl vierzig voll ist, dann ist für ihn das Maß erfüllt, und er wird fortgeführt. Ich werde aber ein Zeichen tun, dessen gleichen in diesen Zeiten nicht gewesen ist, und dann werde ich ihn fortführen.' Und der Begnadete verstand ihn vollkommen. Er maß nochmals zum zweiten Mal, und in gleicher Weise sprach er zum Begnadeten. Über diese Rede sagten sie nichts zu ihm, sondern sie redeten miteinander keine geringe Weile, und sie stiegen zur Höhe auf. (B: Und da der Begnadete ihn nicht vollkommen verstand, maß er nochmals zum zweiten Mal und sprach ebenso. Zum Begnadeten aber sagte er nichts über diese Rede, sondern sie redeten . . .) Er aber war überzeugt, daß es wegen ihm gesprochen wurde und die ganze Zeit dachte er viel darüber nach" [119]).

Außer durch die Zeit bis zum Ende der großen Einschließung, die vermutlich die ersten drei Jahre des Aufenthaltes in der Umfriedung umfaßte, wurden die ersten zehn

Jahre auf dem Berggipfel bei Telneschin durch diese Vision in einen Zeitraum von sieben und einen von drei Jahren unterteilt. Die Zahl sieben als Maß der Schöpfungswoche, aber auch in ihrer inneren, auf die Menschwerdung Christi bezogenen Proportion als Addition der göttlichen Zahl der Dreifaltigkeit und der irdischen Zahl der vier Weltenden, führt Simeon an seinen letzten großen Lebensabschnitt von vierzig Jahren heran, an die Zeit seiner irdischen Läuterung und Bewährung im immer höheren Aufstieg auf die Säulen und seiner immer stärkeren Annäherung an den Augenblick seines Überstiegs in die Räume der Ewigkeit. So entsprechen die 47 Jahre, die Simeon auf dem Berggipfel verbrachte, den sieben Tagen der Neuschöpfung der Welt während der Leidens- und Todeswoche Christi und den vierzig Tagen von seiner Auferstehung am Ostermorgen bis zur Himmelfahrt. Aber auch die letzten drei Jahre vor dem Aufstieg auf die Säulen sind mit dem Maß von vierzig Ruten aufs engste verflochten, denn drei Tage dauerte die Grabesruhe Christi und vierzig Stunden weilte der Herr von seinem Tode bis zu seiner Auferstehung in der Unterwelt [120]). Beide Zahlen sagen das Gleiche, doch in anderer Weise: Die drei Jahre sind die Zeit des hinnehmenden und duldenden Wartens auf den sichtbaren Aufstieg auf die Säulen, einem Bild der Erhöhung des menschlichen Leibes, die vierzig Jahre sind das Maß des Durchgangs durch die irdische Todesverfallenheit, der Wanderung durch die Schatten des Todes zum Licht des Lebens, hin zum endgültigen Überstieg in das Göttliche.

Bevor der Aufstieg auf die Säulen begann, kam für Simeon noch eine Zeit, in der sich die Zahl drei gleichsam verdichtete: „Damit du aber erkennst, daß es tatsächlich vom Herrn ausging und geschehen ist: Es gab für ihn ein Fenster zur Eucharistiekapelle, und ein Stein von drei Ellen war davorgelegt. Auf ihn war ein Weihrauchbecken und eine Schale mit Wohlgerüchen gestellt. In der Abschließung der Quadragesima, als etwa drei Wochen vergangen waren, erschien ihm, dem begnadeten Mar Simeon, ein herrlicher Mann, dessen Antlitz wie Feuer leuchtete, und er war gegürtet wie ein Mann, der zum Kampfe auszieht. Und er sah, daß er kam und vor diesem Platz am Fenster betete. Als er sein Gebet vollendet hatte, stieg er wieder hinauf und stellte sich auf jenen Stein und faltete seine Hände hinter sich, bückte sich, richtete sich auf und flehte inbrünstig, und er wandte sich um und blickte auf ihn, den Begnadeten, und wiederum erhob er seine Hände zum Himmel und richtete seinen Blick zur Höhe empor. Und wiederum wandte er sich um, indem er betete und flehte, und er blickte auf ihn, den Begnadeten. Drei Nächte machte er es so, vom Abend bis zum Morgen. So verstand der Begnadete und erkannte, daß er wegen ihm dies machte, und daß er vom Herrn geschickt war, damit er ihm zeige und lehre, wie inbrünstig er in seinem Gebet sein soll. Als er nach diesen drei Tagen aufhörte, abließ und fortging, da ging der begnadete Herr hin und stellt sich auf diesen Stein und seine Seele freute sich und fand Ruhe, weil er so stand, besonders aber deshalb, weil er wußte, daß dies tatsächlich vom Herrn ausging. Als die Quadragesima vorüber war, und die Türe der Umfriedung geöffnet wurde, holte er diesen Stein, richtete ihn auf und stand auf ihm drei Monate. Danach fing er an, diese Säulen zu machen bis zu jener von 22 Ellen"[121]). Deutlich ist hier der Stein, auf den Simeon sich stellt und von dem aus die Wohlgerüche, das Sinnbild der Gebete der Heiligen, zur Eucharistie, zu Christus, aufsteigen, ein Bild der Kirche.

Der Aufstieg auf die vierte und höchste Säule bereitet sich in drei Stufen wiederum in einem Zeitraum von sieben Jahren vor. Auf der letzten Säule von vierzig Ellen[122]), dem Maß der irdischen Läuterung, stand Simeon dreißig Jahre, dem Zeitraum, der der menschlichen Reifung entspricht. Die Maße der drei kleinen Säulen von 11, 17 und 22 Ellen werden nur dann verständlich, wenn der Mensch, der auf ihnen steht, als ihr letzter Abschnitt und als ihre Vollendung angesehen wird. Das Stehen Simeons auf den Säulen bringt so zum Ausdruck, daß bis zum Beginn der endgültigen Gottesherrschaft dem Menschen noch eine Zeitspanne des Zuwartens und der eigenen Vollendung im Gang der Geschichte gesetzt ist, obgleich das

Heil durch die Erlösungstat Christi bereits auf die Erde herabgestiegen ist. Diese Vollendung geschieht im wachen Warten auf das Kommen des Herrn, und in diesem Warten ist jeder Augenblick von der Spannung des letzten Tages, an dem der Bräutigam tatsächlich kommt, erfüllt. So wird auch Simeon in der syrischen Vita als ein letztes Mahnzeichen nach allen Propheten, die die Menschen zu wecken versuchten, gesehen, als ein Mahnzeichen, das die durch die verzögerte Ankunft des Bräutigams wie die wartenden Jungfrauen eingeschlafene Welt wach rütteln soll: „Und für Mar Simeon gefiel es seinem Herrn so, daß er ihn auf die Säule stellte in diesen Tagen und letzten Zeiten, denn er sah, wie die Schöpfung eingeschlafen war. Und er wollte durch seine Bedrängnis die Welt von ihrem Versunkensein in die Schwere ihrer Menschheit erwecken (B: Durch die Bedrängnis seines Knechtes wollte er die Welt von dem Versunkensein in die Schwere des Schlafes erwecken), und daß der Name seiner Gottheit durch seine Getreuen (B: seinen Getreuen) verherrlicht werde“ [123]).

Obwohl im Text nicht ausdrücklich angegeben, so dürften sich die Maße der drei kleinen Säulen durch verschieden hohe, aufeinandergesetzte Trommeln ergeben. Die Grundsäule hatte elf Ellen Höhe, die durch den Säulensteher zur Zahl zwölf ergänzt wurde, der Zahl der Stunden des Tages. Die zweite Trommel, die die Säule auf siebzehn Ellen erhöhte, hatte sechs Ellen, ein Maß, das durch den auf ihr stehenden Heiligen zu den sieben Tagen der Schöpfungswoche vollendet wurde. Nach den Maßen von Zeit und Geschichte, von Tag und Woche, wurde die dritte Trommel von fünf Ellen durch den Menschen, der sich auf ihr aufrichtete, zur Zahl des Wochentages emporgeführt, an dem der Mensch erschaffen und durch den Tod Christi erneuert wurde. Diese Vollendung der Maße durch den Menschen in einem dreifachen Aufstieg geschieht in einem Zeitraum von sieben Jahren.

Als Simeon diese Zeit vollendet hatte, rief er vor Beginn der Quadragesima seinen Lieblingsjünger zu sich und trug ihm auf: „Bis es unser Herr wünscht, und die Türe der Umfriedung geöffnet wird, vollende und errichte mir eine Säule von zwei Trommeln in einer Höhe von 30 Ellen". Der Versuch, eine solche Säule zu behauen, scheiterte, weil die einzelnen Stücke immer wieder zerbrachen. Als vier Wochen vergangen waren, ging der Jünger in der Nacht zu Simeon und fragte, ob die Bauleute unter diesen Bedingungen weiter arbeiten sollten. Der Heilige bestellte seinen Jünger für die kommende Nacht wieder zu sich, und kurz vor seiner Ankunft erschien ihm ein schöner Mann, der zu ihm sprach: „Sei nicht betrübt über das, was dein Jünger gesagt und berichtet hat, denn so wünscht es dein Herr, daß du eine Säule von vierzig Ellen machst, und du sollst ihr drei Trommeln machen, entsprechend der Dreifaltigkeit, so wie dein Glaube ist". Ferner gab er Simeon „drei reine, weiße Geschenke, die sehr prächtig und schön waren". Am nächsten Morgen suchten der Jünger und die Werkleute nach einem geeigneten Stein. Da öffnete Gott, der Herr, vor ihnen die Türe zum heiligen Bezirk, und sie fanden den Stein innerhalb der Umfriedung. Sein Maß war bis dahin ihren Augen verborgen geblieben, obgleich sie täglich über ihn aus- und eingingen. Mühelos wurde dieser Stein in einer Woche behauen und am Ende der Quadragesima als Säule aus drei Gliedern in die Umfriedung zurückgebracht. Der Heilige „stieg hinauf und stand auf ihr dreißig Jahre wie ein Tag" [124]).

Diese letzte Säule, die in einer Woche, dem göttlichen Werkmaß, und nicht im Zeitmaß der irdischen Wanderung und Läuterung der vierzigtägigen Fastenzeit behauen wurde, und die nicht nach menschlichen Plänen, sondern entsprechend göttlicher Weisung gebaut ist, wird ausdrücklich als ein Bild der durch Christus gegebenen, letzten Offenbarung über das Wesen Gottes, der Dreifaltigkeit, bezeichnet. Der Stein, aus dem sie geschlagen wurde, lag schon immer im heiligen Bezirk, doch waren die in ihn eingeschriebenen Maße dem Menschen verborgen, so wie auch Gott von Anfang an dreifaltig war, ohne daß der Mensch dies von sich aus zu erkennen vermochte. Durch die Menschwerdung Christi wurde die Dreifaltigkeit Gottes aber nicht nur geoffenbart, sondern der ganze Mensch in sie hineingenommen. Der Aufstieg auf die letzte Säule geht so in seiner Verkündigung über die Erhöhung des Gläubigen auf dem Fundament der Kirche hinaus und dringt bis an das letzte Geheimnis des erlösten Menschen vor, sein Einswerden mit Gott, seine Vergöttlichung. Die Höhe der Säule hat das Maß der irdischen Läuterung, des hellen Wachens bis zur Wiederkunft des Herrn. Auf dieser Höhe steht Simeon dreißig Jahre, die Zeit der Reifung, „wie ein Tag".

In der Lebensbeschreibung des Antonius werden für die Zeit zwischen dem Weggang aus dem Kloster und seiner Festsetzung auf dem Berggipfel bei Telanissos keine weiteren Ereignisse berichtet: „Der heilige Simeon hörte nicht auf zu weinen und Gott zu bitten. Als er in jenem Kloster drei Jahre verbracht hatte, ging er weg, ohne daß es jemand wußte, und entfernte sich an einen einsamen Ort, an dem geeignete Stellen waren – nahe bei ihm war ein Flecken mit Namen Thalanis [125]) –, und er baute sich dort einen kleinen Platz aus Trockensteinen, und er stand in der Mitte vier Jahre eingeschneit, naßgeregnet und ausgebrannt, und viele kamen zu ihm. Seine Nahrung waren eingeweichte Linsen und sein Trank Wasser. Und danach machte er sich eine Säule von vier Ellen und stand auf ihr sieben Jahre, und sein Ruf verbreitete sich nach überallhin. Danach bauten ihm die Menschenmengen zwei Umfriedungen (Mandra) aus Trockensteinen, und sie ließen eine Türe in die innere Umfriedung ein, und sie machten ihm eine Säule von dreißig Ellen und er stand auf ihr fünfzehn Jahre, wobei er viele Heilungen vollbrachte, denn viele Besessene begaben sich dorthin und wurden geheilt. Der heilige Simeon ahmte seinen Führer Christus nach, und indem er ihn anrief, machte er, daß Lahme gingen, Aussätzige reinigte er, Heisere brachte er zum Sprechen, Gelähmte zum Springen, Schwerkranken brachte er die Heilung, wobei er jeden ermahnte und aufrief: ‚Wenn jemand zu dir sagt, wer dich geheilt habe, so sage: Gott hat mich geheilt. Habe ja nicht die Absicht zu sagen: Simeon hat mich geheilt; sonst findest zu dich in der gleichen Mühsal wieder' ..." [126]). Nach weiteren Wundern und dem Bericht über die Begegnung Simeons mit seiner Mutter, auf den im folgenden eingegangen wird, „veränderten sie seine Säule und machten ihr vierzig Ellen, und er wurde im ganzen Erdkreis bekannt"[127]).

Nach seiner Errettung aus der Höhle, der Wohnstätte der lebensfeindlichen chthonischen Mächte, die den Menschen mit der Ursünde in ihre Gewalt gebracht hatten, bleibt Simeon noch drei Jahre im ununterbrochenen Gebet im Kloster. Durch dieses Gebet dringt er weiter in die Einsamkeit der Begegnung mit Gott vor, eine Einsamkeit, die aber wie die des Menschensohnes nicht von der Menschheit absondert, sondern in ihren Mittelpunkt hineinführt. In solcher Einsamkeit zieht der Heilige aus der Klostergemeinschaft fort und setzt sich als Eremit an seinem Ort fest, den er einfriedet. Als er dann sieben Jahre lang auf der ersten Säule stand, die mit dem Weltmaß von vier Ellen ein Bild der Kirche der irdischen Zeit ist, verbreitete sich sein Ruf, und, im Gegensatz zu den übrigen Viten, ist es nicht Simeon, nach dessen Anweisungen die immer höheren Säulen gebaut werden, sondern die herbeiströmenden Menschen, als Bild der lebendigen Kirche, heben den Heiligen aus ihrer Mitte heraus immer weiter in den Weltmittelpunkt empor. Sie bauen ihm auch die doppelte Umfriedung, die mit dem griechischen Wort für Schafspferch, Mandra, benannt ist: An dem Ort, an dem sich Simeon niedergelassen hat, sammeln sich die Schafe Gottes; er wird zum Schafstall Gottes. Dabei bleibt der Heilige durch den inneren Bezirk ein in seiner Einsamkeit von der Welt abgeschlossener Eremit, der aber inmitten der Menschheit wohnt und ihr als ihr Mittelpunkt die heilende Gnade Gottes vermittelt.

d) Die Abschließung gegen Frauen und die Begegnung mit der Mutter

„Die Königin der Ismaeliten, die unfruchtbar war und Kinder begehrte, schickte zuerst einige der höchsten Würdenträger und bat flehentlich, Mutter zu werden. Nachdem ihre Bitte erfüllt war, und sie das Kind zur Welt brachte, wie sie gewünscht hatte, nahm sie den neugeborenen König und eilte zu dem göttlichen Greis. Da aber Frauen keinen Zugang hatten, schickte sie den Säugling zu ihm und bat, daß er von ihm den Segen empfange. ‚Dein ist diese Garbe', sagte sie, ‚ich habe unter Tränen den Samen des Gebetes dargeboten, du hast den Samen zur Garbe gemacht, indem du durch die Fürbitte den Regen der göttlichen Gnade herbeigelockt hast'.[128])"

Wie Theodoret, so berichtet auch die Vita des Antonius und später Gregor von Tours[129]), daß Frauen sich nicht innerhalb der Umzäunung zu Simeon begeben durften und daher auch nicht unmittelbar mit dem Heiligen sprechen konnten. Eine solch vollkommene Abschließung gegen Frauen gilt heute noch auf dem Berg Athos, und von einzelnen Asketen wurde sie bereits vor Simeon geübt. Beispielsweise berichtet die Historia monachorum in Aegypto von dem neunzigjährigen Eremiten Johannes von Lycopolis, daß er seit vierzig Jahren keiner Frau mehr erlaubt hatte, sich bei ihm zu zeigen. Als dann schließlich eine Pilgerin nicht abließ, über ihren Ehemann den Eremiten um die Erlaubnis eines Besuches zu bitten, wurde er von ihrem Glauben gerührt und versprach ihr im Traum zu erscheinen. Dieses Versprechen erfüllte er in der kommenden Nacht und sprach dabei zu der Frau: „Weib, was habe ich mit dir (Joh. 2,4)? Warum verlangst du nach meiner äußeren Gestalt? Ich bin doch kein Prophet, noch stehe ich im Range eines Gerechten! Ich bin ein sündiger Mensch und den gleichen Leiden unterworfen wie ihr (omoiopathes ymin, Apg. 14,15). Gleichwohl habe ich für dich und das Haus deines Mannes gebetet, damit euch nach eurem Glauben geschehe (Mt. 9,29). Gehet nun im Frieden"[130]).

In diesem äußerlich unscheinbaren Bericht wird der tiefste Grund des geschichtlichen Ganges der erlösten Menschheit berührt, die Erhöhung und Vollendung der in der Schöpfungsordnung begründeten Beziehung von Mann und Frau durch die personale Vereinigung der Gottheit und der Menschheit in Christus und ihre universale Weitung zu seiner Brautschaft mit der Kirche in seinem Tod und im Weggang seiner sichtbaren Gestalt. Durch diese Ereignisse wird das Männliche und das Weibliche in ganz neuer Weise auf seine ureigensten Erfahrungsgründe verwiesen, aus denen die lebendigen Bezeugungen für das erneuerte Leben der Welt entspringen. Die Antwort des Eremiten an die Pilgerin zeigt ebenso wie die Hilfe, die Simeon den Frauen gewährt, und die besondere Verehrung der Gottesmutter auf dem Berg Athos, daß die vollkommene Abschließung gegen Frauen nicht einer Verachtung des Weiblichen entspringt, sondern daß sie wie jede Form der frühen Askese von der durch die Erlösungstat Christi geschaffenen Wirklichkeit Zeugnis ablegen will.

Im Anklang an die Worte, mit denen Paulus und Barnabas ihre göttliche Verehrung nach der Heilung eines Lahmgeborenen in Lystra in Lykaonien zurückgewiesen haben (Apg. 14, 15), erklärt Johannes von Lycopolis, daß er sich in nichts von den anderen Menschen unterscheide, daß also das gläubige Verlangen, ihn zu sehen nicht auf seine äußere Gestalt, sondern auf das Zeugnis, dem sein Leben dient, zu richten ist. So, wie den beiden Blinden nach Mt. 9,29 wegen ihres Glaubens das Sehen geschenkt wurde, so öffnen sich im Glauben an Christus die Augen dafür, daß in der ehelichen Gemeinschaft, in der die Frau im Hause ihres Mannes lebt, die gleiche Zeugenschaft begründet liegt, wie in der anscheinend so gegensätzlichen Abschließung gegen Frauen, und daß sich im bewußten Aufnehmen dieses Zeugnisses der Friede findet, um den der Eremit gebetet hat. Während die eheliche Bindung mit der Menschwerdung Christi zum Bild der untrennbaren, in der gegenseitigen Liebe begründeten Vereinigung von Gottheit und Menschheit erhöht wurde und daher Sakrament, Verwandlung der natürlichen Liebe in die durch Christus geschaffene Universalität, ist, dringt die Abschließung gegen das Weibliche, aus dem vaterlos die Menschheit Christi geboren wurde, in die Bedingungen der geschichtlichen Verwirklichung dieser gottmenschlichen Vereinigung vor, dahin nämlich, daß die Verwandlung durch die vereinigende Liebe die ganze Erfahrung der Zweiheit, der wesenhaften Unterschiedlichkeit der Liebenden, voraussetzt. Damit die ganze Gottheit und die ganze Menschheit von dieser gegenseitigen Liebe erfaßt werden können, ist die sichtbare Gestalt Christi, in der beide vereinigt sind, durch den Tod gegangen und im Aufstieg zum Vater in eine in der Zeitlichkeit unüberbrückbare Ferne gerückt. Durch diese „Wegnahme des Bräutigams" (Mt. 9,15; Mk. 2,20; Lk. 5,35), durch diese äußere Trennung dessen, „was Gott zusammengefügt hat" (Mt. 19,17), wurde die Leiblichkeit Christi in die Menschheit gelegt, der nun seine Gottheit als das ganz andere, jedem Zugriff entzogene, aber als die unendliche Ergänzung, gegenübertritt, deren Nähe allein in der Liebe erfahrbar wird. Diese Liebe öffnet den Weg für den bräutlichen Aufstieg der Menschheit zur Gottheit Christi und offenbart sich im Wachsen seines von den Heiligen gebildeten mystischen Leibes durch die immer neue Gottesgeburt aus dem Mutterschoß der Kirche und aus den Herzen der Gläubigen, in der sich das Mysterium der Heilswerdung in der Geschichte vollzieht. In seiner körperlichen Abschließung und in seiner unkörperlichen Erscheinung im Traum bezeugt Johannes von Lycopolis der Pilgerin dieses unerreichbare Verschlossensein der Gestalt des Bräutigams und seine gleichzeitige unfaßbare Nähe als liebende Antwort auf das gläubige Verlangen. So verweist die Ehelosigkeit, besonders in ihrer äußersten Form, der Abschließung gegen das Weibliche, in ihrer Zeugenschaft für die der körperlichen Trennung entspringende liebende Nähe der göttlichen Brautschaft die Ehe, die durch die untrennbare Vereinigung der Gottheit mit der Menschheit in Christus zum sakramentalen Stand erhobene ist, in ihren inneren Sinngehalt.

Die Beziehung zwischen Mann und Frau, die zum Inbild der durch Christus geschaffenen Brautschaft zwischen Gottheit und Menschheit erhöht wurde, einem Verhältnis, in dem das ganze Schicksal der Schöpfung begründet ist, kann sich nur dann zum Zeugnis der umfassenden Liebe weiten, wenn beide immer tiefer in ihre ureigensten Erfahrungsgründe vordringen, der Mann zum Priestertum, zu seiner gottesebenbildlichen

Schöpferkraft, mit der er das ganze Leben der Welt in eine Liturgie, eine Feier der Anwesenheit Gottes, verwandelt, die Frau zur Mutterschaft der Schöpfung, die dieses Leben gebiert. Daher empfängt Johannes von Lycopolis den Mann, während er die Frau auf die Worte verweist, die Christus vor seinem ersten Wunder in Kana in Galiläa zu seiner Mutter sprach: „Weib, was habe ich mit dir (Joh. 2,4)? "

Durch die Menschwerdung Christi wurde weder der Mensch zu göttlicher Macht erhoben, noch hat sich Gott dem Menschen angeglichen, sondern die liebende Vereinigung wird gerade in den wesenhaften Unterschied zwischen Gottheit und Menschheit gelegt, so daß der Mensch Gott nur dann finden kann, wenn er sich selbst begreift. Diesen Sinn sieht Augustinus in den Worten, die Christus zu seiner Mutter sprach, bevor er im gleichnishaften Bezug auf die Ereignisse in seinem Tod das Wasser des Alten Bundes in den Wein eben dieser in der Liebe begründeten Vermählung zwischen der Gottheit und der Menschheit, in den Wein des Neuen Bundes, verwandelte: „Ein Wunder also forderte die Mutter, doch er erkennt sozusagen den menschlichen Schoß nicht an, da er im Begriffe stand, göttliche Taten zu vollbringen, gleichsam als wollte er sagen: Was aus mir das Wunder bewirkt, hast nicht du geboren, meine Gottheit hast nicht du geboren, aber weil du meine Schwachheit geboren hast, werde ich dich dann anerkennen, wenn eben diese Schwachheit am Kreuze hängen wird ... Zu einer bestimmten Stunde anerkannte er sie nicht in geheimer Bedeutung, und zu einer bestimmten Stunde, die noch nicht gekommen war, anerkannte er sie wiederum in geheimer Bedeutung. Damals nämlich anerkannte er sie, als das, was sie geboren hatte, starb. Es starb nämlich nicht das, durch das Maria geworden war, es starb nicht die Ewigkeit der Gottheit, sondern es starb die Schwachheit des Fleisches" [131]).

Als am Kreuze sämtliche göttliche Macht aus der menschlichen Gestalt Christi weicht und mit dem Erleiden des Todes, der vom Menschen erspielten Trennung von Gott, seine Menschwerdung vollendet wird, indem Gottheit und Menschheit auseinandertreten, steht Maria wieder in der gleichen Nähe zu ihrem Sohn wie bei seiner Geburt. „Der Herr aber starb mit innerer Gewißheit und gab sein Blut für die, die er als Auferstandener besitzen würde, die er sich bereits im Schoße der Jungfrau verbunden hatte. Das Wort ist nämlich der Bräutigam und das menschliche Fleisch die Braut, und beides der eine Sohn Gottes und ebenso der Menschensohn. Von dort, wo er zum Haupt der Kirche wurde, das ist jener Schoß der Jungfrau Maria, sein Brautgemach, von dort ging er hervor wie ein Bräutigam aus seinem Brautgemach"[132]). Bei der Menschwerdung Christi aus Maria verbinden sich unvermischt und unvermindert die mutterlos gezeugte Gottheit mit der vaterlos geborenen Menschheit zur Gestalt des Bräutigams, der mit seiner Braut, dem menschlichen Fleisch als dem Inbild der Erde, eins geworden ist wie am Leib das Haupt und die Glieder. Diese Vereinigung mit dem Menschen ging von Gott aus. Da sie aber keinem naturhaft gemeinsamen Wesen entsprang, sondern einer liebenden Hinwendung, muß auch im Menschen das innerste Verlangen nach der Vereinigung mit der Gottheit aufgestoßen werden. Aus dem Fleisch, das der Bräutigam annahm, mußte die sich in liebendem Verlangen verzehrende Braut geschaffen werden. Dies geschah im Tod am Kreuze durch die nochmalige Trennung der Vereinigung von Gottheit und Menschheit, bei der die gegenseitige bräutliche Liebe in ihre universale, weltumfassende Weite trat, in die die ganze Schöpfung hineingenommen ist.

In der Öffnung der Seite Christi, des Bräutigams, durch den Lanzenstoß und im Hervorsprudeln von Blut und Wasser sahen die Väter die Neuschöpfung dieser Braut, der Kirche, aus der Seite des neuen Adams, Christus: „Aus seiner Seite baute Christus die Kirche, wie aus der Seite Adams seine Gattin Eva herausgenommen wurde"[133]). „Adam schläft, damit Eva entstehe: es stirbt Christus, damit die Kirche entstehe. Dem schlafenden Adam entsteht die Eva aus der Seite: als Christus tot ist, wird die Seite mit einer Lanze durchbohrt, damit die Sakramente hervorfließen, durch welche die Kirche gebildet werden sollte"[134]). „Hier schläft der zweite Adam mit geneigtem Haupt am Kreuz, damit aus dem eine Gattin gebildet würde, was aus seiner Seite floß"[135]). So wird aus dem aus Maria geborenen Leib im Tod die Mutter als die Kirche und als die Braut neu geschaffen. Hierin geht das gleichnishafte Wunder auf der Hochzeit von Kana in Erfüllung, wie dies auch der Psalmvers 64,10 ausdrückt: „Du hast die Erde heimgesucht und trunken gemacht." Der eigentliche sakramentale Sinn von Genesis 2,24 wird in dieser Beziehung von Christus zu seiner Kirche offenbar: „Und deshalb wird der Mann Vater und Mutter verlassen, und es werden zwei in einem Fleische sein." Dies sagt bereits Paulus im Epheserbrief 5,31–32, und es wird von den Vätern, ganz besonders von Jakob von Sarug[136]), in immer neuen Wendungen wiederholt, wobei die Mutter, die Christus verlassen hat, im Alten Bund, in der Synagoge, gesehen wird und das Verlassen des Vaters in seiner Menschwerdung.

Nicht durch die greifbaren Zeichen göttlicher Macht, sondern durch die Qual des Leidens und Sterbens des Menschensohnes wird die Menschheit zur Gewißheit der gott-menschlichen Brautschaft und einer endgültigen kommenden Vereinigung mit der Gottheit geführt, denn gerade die Tiefe des Leidens offenbart die vollkommene und innige Verbindung von beiden in der Person Christi, die Schwere einer selbst nur für die Zeitlichkeit gesetzten Trennung. Weil mit dieser Trennung in der Schöpfung des bräutlichen Leibes aus dem priesterlichen des Menschensohnes eine Verwandlung des menschlichen Leibes Christi stattgefunden hat, wurde durch sie die lebendige Wandlungsfähigkeit der Schöpfung wiederhergestellt, die durch den Tod unterbrochen war. Dadurch wird der mit der Ursünde naturhaft auf sich selbst zurückgefallene Sinn der Schöpfung auf den Schöpfer und Bräutigam ausgerichtet und in der gleichen Weise sakramental zur bräutlichen Liebe verwandelt, wie sich der menschliche Wille des Leibes Christi in der Vereinigung mit seiner Gottheit verwandelt hat. In dieser Liebe fallen die naturhaften, eigenständigen Willensbildungen, die mit der

Ursünde in die Welt getretene Zersplitterung des Willens in verschiedene, sich widerstreitende Zentren, die häufig als Zeichen der Freiheit angesehen werden, in sich zusammen, und es wächst aus ihr die wahre Freiheit in dem einen Willen. „Auf der höchsten Ebene des menschlichen Geistes hört die Wahl auf, die Freiheit zu bedingen. Das Vollkommene folgt dem Guten unmittelbar als seinem eigenen und jenseits jeder Wahlentscheidung. In seiner höchsten Form ist der freie Wille eine Aktivität, die ihre eigenen Beweggründe hervorbringt, anstatt sich ihnen zu beugen. Er erhebt sich auf die Ebene, auf der die freiesten Akte, die zugleich die vollkommensten sind, diejenigen sind, bei denen es keine Wahl gibt. Gott wählt nicht. Nach seinem Bilde überschreitet die Geistigkeit eines Heiligen jede Vorliebe. Es zögert und wählt der Wille, der in widersprüchliche Begierden, die ohne Unterlaß gegeneinanderstoßen, aufgeteilt ist. Die Vollkommenheit liegt in der unmittelbaren Einfachheit und der auf übernatürliche Weise natürlichen Annäherung an den Willen, und dies ist die höchste göttliche Freiheit“ [137]).

Mit diesem Willen wird der eine Christus als sein von den vielen Heiligen gebildeter mystischer Leib aus der Kirche geboren. Dieser Leib aber ist wiederum die Kirche selbst, so daß die Väter bereits in sehr früher Zeit davon sprechen, daß die Kirche sich täglich selbst gebiert [138]). Damit wird gesagt, daß bis zur Wiederkunft des verklärten Christus das Heil sich in einem geschichtlichen Weiterschreiten immer wieder aufs neue im Menschen und auf der Erde verwirklicht, indem der aus der Kirche, aus allen Gläubigen, geborene eine Christus, der in das Bild des Mannes gelegte Logos, in priesterlicher Weise den naturhaften Sinn seiner eigenen mütterlichen Substanz, des Fleisches, in die bräutliche Liebe verwandelt, in die täglich erneuerte Bereitschaft, das schöpferische göttliche Wort zu empfangen und als mystischen Leib Christi zu gebären. Indem die Kirche also in ihrer Liebe aus sich den einen Willen des Schöpfers gebiert, werden die Gläubigen zum mystischen Leib Christi und damit zum Priester der Welt, der die Schöpfung erneut in das Gefäß der empfangenden Liebe, zur Mutterschaft der Fleischwerdung des Göttlichen verwandelt. Dies sagt Beda Venerabilis in seiner Erklärung des apokalyptischen Weibes: „,Und sie gebar einen männlichen Knaben' (Apk. 12,5). Immerdar gebiert die Kirche Christus, trotz der Gegnerschaft des Drachens. Männlich aber nannte er den Sieger über den Teufel, der die Frau besiegt hatte. Denn wer ist der Sohn außer dem männlichen, ,der alle Völker mit eisernem Stab regiert' (Apk. 12,5, Ps. 2,9)? Mit unbeugbarer Gerechtigkeit lenkt er die Guten und zerbricht die Bösen. Dies wird weiter oben auch der Kirche versprochen: ,Ich werde ihr Macht über die Völker geben, und sie wird sie mit eisernem Stab lenken' (Apk. 2,26–27). Denn auch die Kirche gebiert täglich die Kirche, die die Welt in Christus regiert. ,Und ihr Sohn wurde zu Gott entrückt' (Apk. 12,5). Deshalb kann die Gottlosigkeit Christus, der auf geistige Weise im Innern der Hörenden geboren wird, nicht ergreifen, weil er gleichzeitig im Himmel mit dem Vater herrscht, der auch uns auferweckte und in Christus einen Platz in den himmlischen Gemächern anwies"[139]). So wird an dem einen Leib der Kirche das in der Schöpfungsordnung begründete Verhältnis von Mann und Frau in ihrer Priesterschaft und in ihrer Mutterschaft sichtbar.

In ihrer letzten Vollendung aber ist die Kirche die strahlende Braut, die dem göttlichen Bräutigam entgegengeht, denn der innerste Sinn des Menschseins ist nicht das Priestertum, sondern das Verwandeltwerden, das Neugeschaffensein aus dem Priestertum, so wie Eva aus Adam und die Kirche aus der Seite Christi entstanden ist. Selbst im höchsten, freiesten und mit dem Schöpfer ganz übereinstimmenden Willen des Menschen liegt noch nicht seine Vollendung, sondern in seiner vollständigen Verwandlung in die Liebe, denn auch der Wille des Schöpfers ist nicht bei sich selbst geblieben, sondern hat sich entäußert, hat in der Schöpfung Gestalt angenommen. Deshalb steht der Schöpfer nicht als Autokrat über seiner Schöpfung, er ist vielmehr das Lamm, das, wie die Apokalypse 13,8 sagt, seit Anbeginn der Welt geschlachtet ist.

Die Welt wurde bereits durch das Opfer Gottes erschaffen und nicht nur erneuert, einem Opfer, bei dem sich der tätige Schöpferwille in einer Weggabe seiner selbst in die umfassende Liebe verwandelte, die sich nach der bräutlichen Vereinigung mit der Schöpfung sehnt. Das Wirken Gottes in seiner Schöpfung ist daher nicht Selbstverwirklichung seines Willens und seiner Macht, sondern das Enthüllen seiner Liebe, auf die die Schöpfung eben wegen seiner Selbstentäußerung, seiner Kenosis, frei antworten kann. In dieser Verwandlung des tätigen Willens in liebendes Verlangen ist die Schöpfungstat selbst Urbild aller Sakramente und Inbild jeder schöpferischen Tätigkeit, auf das hin alles, was geboren wird und Gestalt annimmt, ausgerichtet ist. Bis zu ihrer letzten Vollendung als strahlende Braut des Schöpfers ist in die Schöpfung die tägliche Erneuerung dieser sakramentalen Schöpfungstat gelegt, die tägliche Geburt des schöpferischen Willens, der die sichtbaren Gestalten, Formen und Werke hervorbringt, aber weder über ihnen steht, noch sie über sich stellt, sondern sich in sie entäußert, in sie eingeht. Dadurch steht das Geschaffene nicht für oder gegen den Willen seines Schöpfers, ist nicht Setzung, sondern gleichsam ein Gefäß, das aus Mangel an eigener Fülle auf seine Füllung wartet, es ist selbst der in harrende Liebe verwandelte Wille. Da mit der Erschaffung des Menschen dieser schöpferische Wille in die Vollendung der Freiheit tritt, ist es der erste Sinn des Menschen, sein in das Bild des Mannes gelegter Primat, diese schöpferischen Kräfte aufzunehmen und zu verwandeln, Priester der Schöpfung zu sein. Hierin ist er Ebenbild des Schöpfers, Ebenbild Gottes. Weil aber die Welt mit dem Opfer des Schöpfers, mit der Schlachtung des Lammes, erschaffen wurde, ist auch der letzte und innerste Sinn seines Ebenbildes, des Menschen, die Selbstentäußerung seines tätigen, priesterlichen Willens, seine Verwandlung in die brennende Liebe des Geschöpfes zum Schöpfer. Hierdurch entsteht gleichsam aus der Seite des eigenen Körpers der neue Leib der Brautschaft, sein Leib aus dem gleichen Fleisch und Bein.

Dies liegt auch im biblischen Schöpfungsbericht verborgen, denn das hebräische Wort „arum", das beim Menschen mit „nackt" und bei der Schlange mit „schlau" übersetzt wird, bedeutet ursprünglich „sich häuten". Sowohl die Schöpfung im Bilde der Schlange wie auch der Mensch als ihr Priester hatten vor dem Sündenfall die Fähigkeit, sich zu häuten. Sie legten immer wieder ihr wehrhaftes Kleid ab, um sich mit einem erneuerten, ungeschützten und daher vollkommen empfänglichen Leib ganz dem Schöpfer anheimzugeben. So empfingen sie aus der Verbindung mit ihm stets aufs neue sein Leben. Der Schöpfer kam, wie es in Genesis 2,8 heißt, nach der Hitze des Mittags mit der Kühle des Abendwindes, um sich mit der Schöpfung und mit dem Menschen zu vereinigen, um mit ihnen zu sprechen. In dieser ständigen Vereinigung Gottes mit seiner Schöpfung sahen die Väter seit ältester Zeit das Verhältnis von Christus und seiner Kirche. So berichtet Anastasius Sinaites, daß bereits Papias, der Bischof von Hierapolis in Phrygien, der um das Jahr 120 gestorben ist, in seinem Epistethion das ganze Hexaemeron auf Christus und die Kirche bezogen hat [140]).

Seine eigentliche, unbedrängte Freiheit, in der priesterlichen Entäußerung den Gang der Schöpfung immer wieder aufs neue an seinen innersten Sinn, das Empfangen, heranzuführen, hat der Mensch durch die Verselbständigung seines Willens, die in einer Verharmlosung des Todes in die Welt trat und auf immer mit dieser verbunden bleibt, verloren. Die Versuchung setzte bei seinem empfangenden, bräutlichen Leib, bei der Frau, ein, an die auch bei der Verkündigung an Maria die Anfrage Gottes gerichtet war. Mit der selbsterrungenen Eigenmächtigkeit war der Mensch aber sofort von der Notwendigkeit umstellt, Wahlentscheidungen zu treffen oder über sich ergehen zu lassen, die das Leben nur noch ausschnitthaft und zerstückelt wie in den Scherben eines zerbrochenen Spiegels erkennen ließen. Er mußte so in Abgrenzungen handeln, und der größte Teil seines schöpferischen Willens war damit der Willenlosigkeit, der Passivität, verfallen. Diese Willenlosigkeit ist aber keine Verwandlung des Willens, sondern als machtloses Ausgeliefertsein der Keim des Todes, der den Menschen nun mit der der schöpferischen Tätigkeit eigenen, aber nicht mehr ausfüllbaren und daher leeren Zeitlichkeit überholte. Dem Eigenwillen ihres Priesters antwortete die Schöpfung mit ihrem umfassenderen, naturhaften Eigenwillen in ununterbrochenen Wandlungen, die sich in ihrer blinden Führerlosigkeit dem Menschen schmerzhaft offenbaren, indem sie sich stetig toter Formen entledigen müssen und so gleichsam wie die Schlange, die beim Sündenfall ihre Beine verlor, mit dem Bauch auf der Erde kriechen, sich nicht mehr von ihr erheben können. An die Stelle der verwandelnden und empfangenden Öffnung tritt eine unerbittlich fortschreitende Trennung der schöpferischen Kraft der Seele vom Leib, so daß dieser schließlich wie ein Gefäß, dessen Öffnung nach unten gekehrt ist, der Leere des Todes anheimfällt. Weil aber die Welt mit der Schlachtung des Lammes, durch das Opfer der Selbstherrlichkeit Gottes, erschaffen wurde, kann sich die körperlose Seele allein nicht mit dem Schöpfer vereinigen, sondern der ganze Leib muß in das neue Leben verwandelt werden oder dem Tode verfallen. Hierdurch, und nicht weil er das irdische Leben beendet, ist der Tod der eigentliche Gegner des Schöpfers und seiner Schöpfung. Er ist keineswegs die natürliche Ergänzung des Lebens, sondern mit ihm unvereinbar, er ist das Zeichen der Trennung der Welt vom Leben. Solange der Mensch versucht, sich in weltlichen oder religiösen Formen mit dem Tod auszusöhnen, ihn sogar als aktives Prinzip zu betrachten, ist diese Welt verloren und kann durch keinerlei hilfreiche Einsätze wirklich verbessert werden.

Da der Tod als Zeichen der Machtlosigkeit der Eigenmächtigkeit, der bis zur leeren Willenlosigkeit fortschreitenden Beschränkung des freien, schöpferischen Willens, entstanden und als Nichts an die Stelle der Verwandlung der Schöpfung getreten ist, steht er gegen den Schöpfer, der seinen tätigen Schöpferwillen ständig und von allem Anfang an in einer Weggabe seiner selbst in die umfassende Liebe verwandelt. Weil diese Verwandlung auch der Sinn der Schöpfung und insbesondere der des Menschen ist, konnte der Tod nicht durch einen machtvollen Eingriff Gottes mit der gleichen Harmlosigkeit schmerzlos aufgehoben werden, wie er in die Welt getreten ist. Er mußte durch ein erneutes Opfer des Schöpfers, in einer erneuten Entäußerung Gottes, durch die sich der Schöpfer selbst zum Geschöpf machte, in Leben verwandelt werden, ein Opfer, bei dem der Tod gerade dadurch, daß er vom Schöpfer des Lebens in seiner umfassenden, jede individuelle Erfahrbarkeit überschreitenden Schmerzhaftigkeit und Bedrängnis erlitten wird, sich als der furchtbare Gegner entlarvt, der weder mit stoischer Ruhe ertragen, noch für belanglos oder sinnvoll erklärt werden darf. Er ist die Stelle, an der die lebendige Wandlungsfähigkeit der Schöpfung unterbrochen ist, an der sie aufhört, Sakrament zu sein, und in der Überwindung dieses machtlosen Ausgeliefertseins liegt der ganze Sinn des Kommens Christi. In seiner Nachfolge wenden die Heilige, die Märtyrer und die Asketen, ihre ganze Lebenskraft der Todesgrenze zu, um wie der Herr diese Grenze als Lebendige zu überschreiten, aber nicht um sich selbst zu retten, sondern um den Tod der Welt in Leben zu verwandeln. Die Welt wird nicht gerettet, indem der Mensch sich ihr geschäftig zuwendet, sondern indem er ihre äußerste Schwäche, ihre Wunden, in Leben verwandelt. Daher ziehen die Märtyrer nicht aus Verachtung der Welt, sondern aus Liebe zu ihr und zum Leben in die Arena und die Mönche in die Einsamkeit des Eremos und in die Heimatlosigkeit der Wanderschaft, der peregrinatio, oder sie verwurzeln sich wie Simeon als Reklusen in einem Minimum an Raum.

Im Erleiden des machtlosen Ausgeliefertseins und der Einsamkeit des Kreuzestodes, in der Hingabe des allumgreifenden Schöpferwillens an den vernichtenden Todeswillen seiner Gegner, vollendete Christus durch die Trennung seiner Gottheit von seiner Menschheit seinen aus der Frau geborenen Leib, indem er ihn am Punkte seiner größten Hinfälligkeit vollkommen zum Mutterschoß der allumfassenden Liebe seiner Gottheit verwandelte, die allein die Lebenskraft ist, die diesen geschaffenen Leib dem Tod entreißen kann. Der Leib wird mehr als ein Gefäß, das sich der göttlichen Liebe öffnet und sie aufnimmt, er tritt selbst in die Mutterschaft des Göttlichen, bringt selbst die Liebe hervor, die die ganze Schöpfung umfaßt und mit Leben erfüllt. So wird er selbst aus dem, was von ihm geboren ist, neu geschaffen und untrennbar als Mutter und Braut mit dem Göttlichen verbunden, bei dessen Geburt sich die Qual und die Drangsal des Todes in die Wehen des Lebens verwandeln. Der mit der Ursünde in die Welt getretene Kreislauf von Geburt und Tod unter dem Bild der Schlange, die sich von ihrem eigenen Schwanze nährt, wird entknotet und sein Gang zu einem Aufstieg ausgerichtet. Aus dem männlichen, priesterlichen Leib, mit dem Christus in die Welt getreten ist, wird der bräutliche Leib der Kirche geschaffen. Deshalb liegt die Macht des Schöpfers, die Macht Christi, nicht in dem begründet, was er als erstes ist, in der Unantastbarkeit seiner Gottheit und in seinem allmächtigen Schöpferwillen, sondern in der letzten Entäußerung dieses Willens und in der Hingabe seines Leibes an die zupackende Willkür seiner Gegner, in der vollständigen Verwandlung allen Wollens in die unbegrenzte Liebe.

Nach der Auferstehung ist die göttliche Herrlichkeit Christi nicht mehr Zeichen der eingeborenen Allmächtigkeit, sondern Zeichen der Erhöhung des Menschensohnes und seiner mit ihm vereinigten Schöpfung, die im Menschen so erneuert ist, daß sie dort, wo sie diesem Weg des Schöpfers folgt, sich selbst verwandelt und nicht nur von ihm verwandelt wird. In ganz neuer Weise ist dem Menschen seine Vollendung in der Verwandlung seines Primates, des in das Bild des Mannes gelegten Priestertums, zur Mutterschaft und Brautschaft des Göttlichen wiedergegeben. Das neue Jerusalem, wie es die Apokalypse 21,23 beschreibt, hat keinen Tempel und deshalb auch keine Priester, das geopferte Lamm als der Bräutigam und die heilige Stadt als die Braut sind eines geworden, zwei in einem Fleisch. Der Schöpfer, der sich selbst seines allmächtigen Willens entäußert hat, vereinigt sich mit seinem geschaffenen Leib, der Kirche, der lebendigen Gemeinschaft der Heiligen, und so wie er letztlich das geopferte Lamm ist und nicht der allmächtige Gott, so ist die Kirche letztlich Mutter und Braut und nicht Priester der Schöpfung.

Hierin hat die Abschließung Simeons und des Eremiten Johannes von Lycopolis gegen Frauen ihren innersten Sinn. Jakob von Sarug läßt Simeon bei seiner Abschiedsrede der Erde, die er Christus als Braut anverlobt hat, zurufen: „In deiner Angelegenheit will ich hineingehen und das Brautgemach schauen und in ihm mit Wohlgerüchen durchtränkt sein“ [141]). Nicht er als der voranschreitende Mann und Priester, sondern die Braut, für die er sich auf Erden abmühte, tritt in die innige Vereinigung mit dem göttlichen Bräutigam, so daß er diese vor seinem Tode bittet: „Sei allezeit meiner eingedenk vor ihm an seinem Tisch, und wenn er dir zuruft, daß du mit ihm hineingehen sollst, dann erinnere dich an mich“ [142]). Ebenso mischt sich der Priester bei der zentralen Feier der christlichen Gemeinde, der Eucharistie, nach dem alten, der Ost- und Westkirche gemeinsamen Ordo nicht zu einer „Mahlgemeinschaft“ unter das Volk, sondern schreitet diesem in den abgetrennten Altarraum voran, nicht um dadurch Profanes vom Heiligen zu trennen, sondern um sich bei der Verwandlung der Gaben gleichsam selbst wegzunehmen und so die nachfolgende Gemeinde in den letzten bräutlichen Sinn der Kirche zu heben.

Obwohl Christus, wie Paulus im Galaterbrief 3,28 sagt, weder männlich noch weiblich ist, und alle Gläubigen zusammen in ihm eines sind, so heben weder die Evangelien noch die alte Kirche die Unterschiedlichkeit der leiblichen Struktur des Menschen auf, sondern vertiefen gerade ihre Besonderheit zu den Zeichen der Angelpunkte im geschichtlichen Gang der Erlösung. In der lebendigen Annahme dieser Zeugnisse vollendet sich aber weder naturhaft das Männliche im Mann noch das Weibliche in der Frau, sondern beide gestalten sich aus ihrer eigensten Form heraus zu der Verwandlung, die sich in allen

Gläubigen vollzieht, und eben hierdurch werden sie zu dem einen Leib Christi. Diese unterschiedlichen, in den Mann und in die Frau gelegten Zeugnisse des Erlösungsganges werden besonders in den Begegnungen Maria Magdalenas und des Apostels Thomas mit dem Auferstandenen, wie sie im Johannesevangelium berichtet sind, sichtbar. Als Maria Magdalena, in der die Väter das Vorbild der Kirche sahen, den Auferstandenen erkennt und sofort vorbehaltlos bereit ist, seine Körperlichkeit als die letzte Verwirklichung der Erlösung zu umfassen, wird ihr mit dem Noli me tangere die Berührung der irdischen Gestalt des Lehrers, ihres Rabbi, versagt und ihr zugleich die Verkündigung seines Wegganges zum Vater aufgetragen. Die Mutterschaft der Kirche, die Christus täglich aufs neue ungezeugt und vaterlos aus den Herzen der Gläubigen gebiert, so wie er aus der Jungfrau Maria Fleisch angenommen hat, erwächst aus der Annahme und aus dem Erdulden der Selbstentäußerung des priesterlichen Schöpfers und Erlösers, also jenseits jeglicher aus der sinnlichen Berührung gewonnenen Gewißheit. Dieses in die Frau gelegte Bild der Gottesgeburt aus den Herzen der Gläubigen kann ebenso wie die bräutliche Liebe nur von innen verwirklicht und nicht in Lehren verkündet werden. So verbietet bereits Paulus den Frauen das Lehren in der Kirche [143]). Thomas dagegen, der, wie Ambrosius sagt [144]), an der Leiblichkeit der Auferstehung zweifelte, wird von Christus aufgefordert, ihn mit seinen körperlichen Sinnen zu betasten. In seinem Zweifel hatte er nicht verlangt, die verklärte Glorie des Auferstandenen zu schauen, sondern sich von der Wirklichkeit der Wundmale zu überzeugen, und aus der Gewißheit dieser Narben, die dem Menschensohn auf ewig eingeprägt sind, erwächst sein Bekenntnis: „Mein Herr und mein Gott". „Er berührte den Menschen und bekannte Gott, den er weder sah noch berührte." [145]) In der Verkündigung der Gottheit Christi an seinen Wundmalen und in ihrer Vergewisserung durch den Gang an die Wunden der Welt besteht das aktive, in das Bild des Mannes gelegte Zeugnis der Kirche. Doch in diesem Zeugnis liegt nicht der letzte Sinn der Erlösung des Menschen, und so sagt Christus zu Thomas: „Selig sind die, die nicht sehen und dennoch glauben.“ Die Seligkeit beginnt jenseits jeder Vergewisserung in der Verwandlung zu der jungfräulichen Braut, die im liebenden Verlangen alle körperlichen Sinneseindrücke einschmelzt. Weil in die Frau das Bild dieser Brautschaft und in den Mann das Zeugnis der Gottheit Christi aus dem Gang an die Wunden der Welt gelegt ist, haben nur Männer Zutritt zu Simeon und zu Joahnnes von Lycopolis und später auch zu der um die Säule errichteten Simeonsbasilika.

Aber auch als Mutter und Braut geht die Kirche vor ihrer Vereinigung mit dem Bräutigam durch den Tod. Sie stirbt in diese Vereinigung hinein. Während der Nacht der irdischen Zeit, in der Christus zum Vater weggegangen ist, empfängt sie von ihm ihr strahlendes Licht wie der Mond von der Sonne. Wenn aber am Ende der Zeiten Christus als die Sonne des unvergänglichen Tages aufleuchtet, dann verblaßt die Kirche nicht nur im Morgen dieses Tages, sondern sie wird auch dunkel wie der Mond bei seiner Annäherung an die Sonne, bei seiner bräutlichen Vereinigung mit ihr zur Zeit des Neumondes [146]). In diesem letzten Dunkelsein wird sie zur Braut, wie sie in den Bildern der schwarzen Madonnen dargestellt und im Hohen Lied 1,4–5 besungen ist: „Schwarz bin ich aber schön . . . Achtet nicht darauf, daß ich dunkel bin, denn die Sonne hat mich verbrannt.“ So leuchtet die Kirche gerade während der Zeit der Trennung von ihrem göttlichen Bräutigam, während der Zeit ihres leiblichen Verlangens nach ihm. Bei der Vereinigung mit ihm geht sie ganz in seinem Lichte auf.

Dieses Wissen um die in Mann und Frau gelegten lebendigen Zeugnisse des Erlösungsganges steht hinter dem Bericht der Begegnung Simeons mit seiner Mutter. Auch wenn diese Begegnung nur in der Lebensbeschreibung des Antonius enthalten und aufgrund verschiedener Merkmale vom Standpunkt der reinen historischen Faktizität als legendär anzusehen ist, so liegt in ihr doch eine entscheidende Aussage zum Sinn des

Lebensweges Simeons. In der griechischen Version A lautet der Bericht folgendermaßen:

„Vernehmt ein furchtbares und unbegreifliches Wunder: Nach zwanzig [147]) Jahren erfährt seine Mutter, wo der heilige Simeon ist, und, nachdem sie eilends herbeigekommen war, wollte sie ihn nach so vielen Jahren anschauen, und sie klagte lange, um ihn zu sehen, und es wurde ihr nicht gestattet, ihn anzuschauen. Da sie stark danach verlangte, von seinen heiligen Händen gesegnet zu werden, war sie genötigt, mit einer Leiter auf die Mauer hinaufzusteigen. Als sie mit der Leiter auf die Mauer der Umzäunung hinaufstieg, brach sie auf die Erde durch, ohne daß sie ihn hatte sehen können. Da ließ ihr der heilige Simeon ausrichten: ‚Vergib mir jetzt, Mutter, und wenn wir würdig sind, so werden wir uns in jener Welt anschauen.' Als sie dies gehört hatte, entbrannte sie noch mehr, ihn zu sehen. Und der heilige Simeon ließ ihr ausrichten: ‚Laß ab, meine Frau Mutter, da du von weither gekommen bist und dich wegen mir Elendem abgemüht hast, so setze sich ein Weilchen und sammle Kräfte beim Ausruhen, und nach kurzer Zeit werde ich dich sehen.' Nach diesen Worten setzte sie sich in seinem Vorhof nieder, und sogleich übergab sie Gott ihren Geist. Da kamen die Wächter (prosmonarioi [148])), um sie aufzuwecken, und fanden sie tot, und sie meldeten dies dem Heiligen. Auf diese Nachricht hin befahl er, daß sie hereingebracht werde, und er ließ sie vor seine Säule legen, und als er sie ansah, begann er unter Tränen zu sprechen: ‚Herr, du Gott der Gewalten, du Führer des Lichtes und Lenker der Cherubim, der du Joseph geleitet hast, der du deinen Propheten David gegen Goliath gestärkt hast, der du den Lazarus, der vier Tage tot war, von den Toten auferweckt hast, erwecke deine rechte Hand und nimm die Seele deiner Dienerin im Frieden auf.' Und während er betete, wurde ihr heiliger Leichnam von einer Bewegung erfaßt und im Gesicht erschien ein Lächeln. Alle, die es sahen, waren erschüttert und priesen Gott. Und sie verrichteten die Totentrauer und bestatteten sie vor seiner Säule, damit er im Gebet ihrer gedenke." [149]).

Der Mutter, die sich in der bräutlichen Liebe zu ihrem Sohn verzehrt, kann der Überstieg in das Brautgemach zwar niemals aus eigener Kraft gelingen, doch ist ihr Aufstieg auf der Leiter die zeichenhafte Verwirklichung ihres unstillbaren Verlangens. Wie eine frühe Ahnung klingt in ihrem Sturz das „furchtbare und unbegreifliche Wunder" der kommenden Geschichte der Kirche an, die nach den kühnsten Formgebungen ihrer Sehnsucht nach dem himmlischen Bräutigam auf die Erde zurückfällt, um hier, in noch heißerer Liebe entbrannt, Kräfte für den Aufbruch beim endgültigen mitternächtlichen Ruf zu sammeln. Doch diese Kräfte sind nicht für einen erneuten Aufstieg aus eigener Kraft bestimmt, sondern für den Gang in die letzte Hingabe, den Gang durch den Tod, bei dem die ganze Ruhelosigkeit ihres Verlangens je stärker sie war, desto mehr in erhabene Schönheit verwandelt wird. In das Brautgemach schreitet die Braut nicht selbst, sondern sie wird hineingeführt, hineingetragen, und gerade hierin liegt ihre triumphale Erhöhung.

Abweichend von allen übrigen Texten berichtet die bei Lietzmann abgedruckte lateinische Version nicht den Tod der Mutter, sondern daß sie die Unerreichbarkeit des Sohnes erträgt, daß sie also seinen Weggang für die Zeit ihres irdischen Lebens erduldet. Als Simeon seine Mutter, die von der Mauer der Umzäunung herabgestürzt war, ohne ihn erblickt zu haben, um Vergebung für seine Haltung bittet, und als diese in einem noch heftigeren Verlangen, ihn zu sehen, entbrennt, läßt er ihr ausrichten: „‚Halte mich nicht für pflichtvergessen, Mutter, denn ich kann meinen Vorsatz nicht verletzen'. Als sie dies hörte, unterdrückte sie ihre Tränen" [150]). In dieser Form hebt der Bericht den irdischen Gang der Kirche hervor, der sich in der Annahme des Wegganges des Sohnes und Bräutigams bei seinem Aufstieg zum Vater vollendet, und ist so möglicherweise eine bewußte Neuinterpretation aus der mehr geschichtsbezogenen Sicht der westlichen Kirche. Auch ein von Simeon bekehrter Räuber stirbt nach den griechischen Texten, während er nach der gleichen lateinischen Version in Reue und unter Tränen bei ihm bleibt. Ferner wird der Sonntag, der Auferstehungstag des Herrn, einzig von dieser Version nicht eigens in den Bericht über den Tod Simeons miteinbezogen. Das Ereignis des achten Tages, die Auferstehung, liegt im Dunkel der kommenden Zeit, allein im Wissen des Vaters eingeschlossen [151]).

e) Die Wunde am Bein

Im Lobgedicht Jakobs von Sarug nimmt das große Geschwür, das sich an einem Bein Simeons bildete, und von dem in allen drei Viten jeweils unter dem Blickwinkel einer besonderen Deutung berichtet wird, die zentrale Stelle ein, an der in dichterischer Form der Sinn des Lebens auf der Säule dargestellt wird [152]). Die Verletzung am Bein und der ihr vorausgehende Kampf mit dem Satan erinnert an den Kampf des alttestamentlichen Urvaters Jakob mit dem Engel in Gen. 32, 24–29. Jakob ist, wie Augustinus sagt, das Vorbild Israels, das mit der Kreuzigung Christus besiegte, aber durch diesen Sieg in den Gläubigen gesegnet und in den Ungläubigen an einem Bein gelähmt wurde [153]). Simeon ist nicht mehr Vorbild, sondern Bild des erlösten Gottesvolkes, das nicht den Engel Gottes, sondern seinen Widersacher, den Satan, besiegt. Seine Verletzung am Bein ist daher mehr als die Lähmung Jakobs. Ihr Schmerz dringt in den ganzen Körper ein, so wie der mystische Leib Christi als ganzes leidet, wenn eines seiner Glieder erkrankt [154]). In diesem Schmerz, der mit Todesmächten [155]) auf ihn einschlägt, wird Simeon zum neuen Job, zum neuen Bild der durch das Leid verherrlichten Menschheit, deren Inbild Christus ist, auf den der Vater alles Leiden der Welt gebührdet hat. Mit Christus hat das Erdulden dieses Leidens festen Grund bekommen, indem es zur Pforte des Lebens wurde. Der erste Job liegt als Vorbild Christi und seiner Gläubigen auf der unsicheren und weichen Natur des Staubes, gleichsam wie Epimetheus, der Bruder des setzenden Rebellen Prometheus, durch die Annahme der vom Himmel gesandten

Wunden in noch unlösbare Verknotungen eingeflochten. Simeon, der zweite Job, steht aufrecht auf dem harten Stein, auf dem Fels der Säule, das heißt auf Christus und auf seiner Kirche: „Die Säule war gleichsam der Misthaufen für den zweiten Job, doch anstatt Staub von weicher Natur harter Stein“ [156]). Das Leiden und die Bedrängnisse des Bösen können nur seine Schönheit vermehren.

Mit der Kreuzigung Christi schlug sich das Israel des alten Bundes seine eigene Todeswunde. Das neue Gottesvolk hat nur noch eine Stütze, den auferstandenen Christus. Er aber „trägt die Burg des Leibes wie eine Säule“ [157]). Um diese in das Stehen auf der Säule gelegte lebendige Verkündigung auch ganz dem Leib Simeons einzuprägen und diesen Leib selbst noch zu einem Säulensteher zu gestalten, beschreibt Jakob von Sarug, wie der Heilige sich sein von der tödlichen Wunde vollkommen zerfressenes Bein abschlug: „Eine wundervolle Tat vollbrachte der Begnadete, die niemals sich ereignet hatte, denn sein Bein schlug er ab, damit er in seinem Dienst nicht gehindert werde“ [158]). Der alte Bund hat seine Kraft verloren, und das ganze Schicksal des alten Israel liegt allein auf dem neuen Gottesvolk: „Eines werden wir sein, wenn wir auferweckt werden, ob für den Tod oder das Leben, ob für das Gericht und das Feuer oder für das Königreich“ [159]). So tritt an die Stelle des an einem Bein gelähmten Jakob der einbeinige Simeon als Bild des neuen Gottesvolkes. Wie eine schwere Last ruht das Gebäude des neuen Gottesbundes auf einer einzigen, schwachen Säule, und seine Unerschütterlichkeit ist nicht in die Statik seiner Natur gelegt, sondern in die dauernde Anwesenheit Christi in seinem mystischen Leib: „Der Tempel des Leibes wird nicht wanken, weil du in ihm wohnst, doch weil eine Säule allein ihn trägt, so festige ihren Sockel“ [160]). „Denn, wenn Christus nicht auferstanden ist, dann ist euer Glaube umsonst“, sagt Paulus im ersten Korintherbrief 15,17. Der Tod Christi hat viele Zeugen, seine Auferstehung aber vollzog sich zeugenlos in der Morgendämmerung des achten Tages.

Und gerade auf dieser einzigen, anscheinend so schwachen Säule ruht das gewaltige Gebäude des neuen Gottesvolkes.

Für Theodoret ist die Wunde am Bein Simeons ein Zeichen dafür, daß der Heilige trotz seiner außergewöhnlichen und fast nicht mehr menschlichen Lebensweise kein überirdisches Wesen ist, sondern ein ganzer Mensch: „Man sagt, daß sich durch das Stehen auch ein bösartiges (cheironion) Geschwür am linken Bein gebildet habe, und daß sich von dort ständig eine große Menge Eiter ausscheide. Aber dessen ungeachtet vermochte keines dieser Leiden die Hingabe an die Weisheit (Philosophia [161]) zu ändern. Vielmehr erträgt er edelmütig das Freiwillige und das Unfreiwillige, indem er sowohl in diesem wie in jenem durch seinen Eifer obsiegt. Einmal war er genötigt, dieses Geschwür jemanden zu zeigen. Ich werde die Ursache berichten: Es kam ein frommer und mit dem Amt eines Diakons Christi ausgezeichneter Mann aus Rabena [162]. Als dieser auf jenem Bergrücken angelangt war, sagte er: ‚Sage mir bei derjenigen Wahrheit, die das Menschengeschlecht zu sich bekehrt hat, bist du ein Mensch oder ein unkörperliches Wesen?' Da die Anwesenden die Frage mißbilligten, befahl er allen ruhig zu sein und sagte zu jenem: ‚Warum hast du denn diese Frage gestellt?' Dieser antwortete: ‚Weil ich alle überall verkünden höre, daß du weder ißt noch ruhst, was doch beides dem Menschen eigen ist. Wer nämlich eine solche Natur besitzt, kann auf die Dauer ohne Nahrung und Schlaf nicht leben'. Da trug er auf, eine Leiter an die Säule zu stellen, und befahl jenem hinaufzusteigen und zuerst die Hände genau zu prüfen, und dann die Hand in das Fellgewand zu stecken und nicht nur seine Beine, sondern auch das äußerst bösartige Geschwür festzustellen. Als der Mann staunend die Riesengröße des Geschwüres feststellte und von ihm erfuhr, daß er Nahrung zu sich nehme, stieg er von dort herab und kam zu mir und erzählte alles" [163].

Nach der syrischen Vita bringt die Erkrankung am Bein Simeon während der Zeit von neun Monaten in immer größere Todesnähe, aus der er auf wunderbare Weise, wie die Menschheit durch Christus, gerettet wird, nachdem er jede menschliche Hilfe abgelehnt und seine Lebensweise wegen dieser Krankheit nicht geändert hatte. Das erkrankte Bein wird hier nicht, wie bei Jakob von Sarug, unter dem Bild einer für den Leib der Kirche überflüssigen Säule gesehen, sondern als ein krankes Glied, durch das der mystische Leib Christi, dessen Geschicke die Lebensweise Simeons auf der Säule verkündet, als ganzes leidet, und durch das er bis zur Todesnähe hinfällig wird. Als Prüfungen, zu denen der Satan ermächtigt wird, befallen solche Krankheiten immer wieder die Kirche. Gerade zur Zeit Simeons traten sie besonders häufig in Form der großen Häresien und Schismen während der christologischen Auseinandersetzungen auf. Gegen sie gibt es keine Rettung aus dem Bereich der irdischen, verstandesmäßigen Reflexion, vielmehr erkannte die Kirche in den Entscheidungen der Konzile die unmittelbare Stimme des Heiligen Geistes, die nicht als Übereinkunft der diskutierenden Parteien sprach, sondern als Antwort auf das gemeinsame Gebet, das aus dem Schmerz über die anscheinend unheilbare Krankheit erwuchs. So lehnt auch Simeon jede ärztliche Hilfe und jede Erleichterung seiner Lebensweise ab.

Wie gegen Job erhält der Satan Gewalt über Simeon, „und als er in der neunten Stunde aufrecht betete, fuhr ein bitterer Schmerz in sein linkes Bein. Während er noch wünschte, daß es Abend werde, wurde er von Wunden bedeckt, und während er wünschte, daß es hell werde, brach es auf, eiterte und wimmelte von Würmern, und es fiel stinkender Eiter aus jenem Bein des Begnadeten zusammen mit jenen Würmern auf die Erde. So durchdringend und bösartig war jener Geruch, daß es niemanden gab, der auch nur bis zur Mitte jener Leiter ohne große Qual hinaufgestiegen wäre wegen der Widerwärtigkeit und dem Gestank jenes Geruches. Diejenigen nämlich, die den Begnadeten bedienten, konnten auch nicht zu ihm hinaufsteigen, bis sie Räucherwerk und duftende Öle an ihre Nasen hielten“ [164]).

„Mit diesem quälenden Leiden war er neun Monate behaftet, solange bis nur noch der Lebenshauch allein in ihm übrig blieb". Viele Leute, Bischöfe und Priester kamen zu Simeon, und selbst der Kaiser Theodosius sandte Boten, um ihn zu bitten, für die Zeit seiner Erkrankung von der Säule herabzusteigen oder wenigstens zur Erleichterung für einen Arzt eine Säulentrommel abzunehmen. Aber er entließ alle mit den gleichen Worten, die er auch an den Kaiser schrieb: „Möget ihr doch sehr inbrünstig für mich beten, und so liegt für mich die Hoffnung bei unserem Herrn Jesus Christus, der die Hände über seinem Diener nicht sinken lassen wird, damit er soweit komme und von seinem Platz herabsteige. Er weiß nämlich, wie sehr ihm diese meine Seele anvertraut ist, und er läßt mich keine Wurzeln und Arzneien nötig haben und auch nicht die Hände sterblicher Menschen. Vielmehr genügt mir die Heilkunst, die von ihm kommt. Der gute Herr hat nämlich Macht über die Schöpfung seiner Hände, sowohl um sie zu züchtigen, wie um sie zu beschenken" [165]).

Trotz dieser Krankheit ließ Simeon am gewohnten Tag zu Beginn seines vierzigtätägigen Fastens die Türe seiner Umfriedung schließen. Während der folgenden Zeit wurde er so hinfällig, daß seine Jünger um die letzte Segnung baten. „Als für ihn bereits 38 Tage in der Abschließung der Quadragesima vollendet waren, am Dienstag, als der Mittwoch in der Woche, in der er das Tor der Umfriedung öffnete, aufleuchtete [166]), gab es plötzlich in der Mitte der Nacht eine Art Blitz, und die ganze Umfriedung wurde von ihm erhellt, und es zeigte sich ihm etwas wie ein schöner Jüngling in weißen Gewändern, und er stand vor dem Begnadeten zwischen Himmel und Erde. Er gab zur Antwort und sprach zu ihm: ‚Fürchte dich nicht und sei nicht ängstlich, vielmehr bist du stark und kräftig geworden. Siehe, dein Kampf ist nämlich zu Ende, dein Widersacher beschämt und deine Krone im Himmel bereit gelegt.' Als er mit ihm gesprochen hatte, streckte er seine Hand aus, näherte sie und erfaßte jenes Bein, das ihm den Schmerz bereitet, und sogleich wich von ihm jenes Leiden, seine Qual legte sich, sein

Leib wurde stark, sein Gesicht heiter, seine Züge leuchteten auf, seine Sprache wurde sicher und es verging jener stinkende Geruch“ [167]).

Die Krankheit Simeons dauerte neun Monate, also die Zahl der Stunden, die von der Verurteilung Christi im Morgengrauen bis zu seinem Tode vergingen. Sie hatte ihn zwar in der neunten Stunde beim Gebet befallen, doch führte sie ihn nicht in den Tod, sondern gerade in der Nacht vor dem Tage, an dem das Urteil über Christus und sein Verrat durch Judas im Hohen Rat von Jerusalem beschlossen wurde, wurde sie durch einen himmlischen Eingriff geheilt. Das Sterben Christi ist die wunderbare Heilung seines mystischen Leibes aus dem Todesleiden der Urschuld. Nach der syrischen Vita vollendet Simeon sein Leben ebenfalls an einem Mittwoch, aber nicht in der Nacht, die der Morgenfrühe vorausgeht, sondern in der neunten Tagesstunde [168]).

Der Dienstag der Karwoche wird als der 38. Tag der vierzigtägigen Abschließung angegeben. Demnach öffnete also Simeon seine Umfriedung in der Morgenfrühe des Karfreitags, mit der der Gründonnerstag als der vierzigste Tag der Abschließung zu Ende ging. Dies ist die Stunde des Todesurteils über Christus im Hohen Rat zu Jerusalem. Die Abschließung Simeons ist also ein Bild der großen Ausschließung der Menschheit aus dem Paradies, die mit dem Beginn des Leidens und Sterbens Christi durchbrochen wurde. Geschlossen wurde die Türe der Umfriedung Simeons am ersten Fastensonntag nach der Zählung der westlichen Kirche [169]). In der Ostkirche beginnt nach der älteren Tradition die Quadragesima, die Tessarakoste, eine Woche früher, da neben den Sonntagen auch die Samstage, an denen die Beendigung der Weltschöpfung und die Ruhe nach dem Leidensgang der Erlösung gefeiert wird, nicht als Fasttage gelten. Lediglich am Karsamstag wurde seit frühester Zeit gefastet, da an diesem Tag die „Wegnahme des Bräutigams“ schmerzhaft in den Vordergrund tritt. Simeon führt aber sein Leben während der Zeit der vierzigtägigen Einschließung nicht nach der Periodik des Wochenablaufes, sondern nach der Ganzheit der Zahl vierzig, dem Bild eines Lebenslaufes oder einer Zeitepoche, die an das göttliche Ereignis heranführt.

In der Lebensbeschreibung des Antonius wird die Deutung, die Jakob von Sarug der Wunde am Bein Simeons gibt, durch die in der patristischen Theologie geläufige Sinngebung für den Wurm weitergeführt. Die Wunde am Bein wird durch den Trug Satans, dem selbst der Gerechte beinahe erliegt, herbeigeführt. Ausführlich erzählt dies die bei Lietzmann abgedruckte lateinische Version: „Der Feind des Menschengeschlechtes, der zu hassende Gegner der Heiligen, der die Menschen mit Trugbildern zu foppen pflegt, verwandelte sich in einen Engel des Lichtes und kam auf einem strahlenden Wagen zu Simeon angefahren und sagte zu ihm: ‚Komm, Gerechtester, steige zu mir in den Wagen, damit ich dich in ihm in den Himmel bringe. Der Kranz des Lohnes wird dir gegeben werden.' Bei einem so herrlichen Aussehen glaubte der selige Mann nicht an eine Scheingestalt und er hob seinen Fuß hoch und näherte ihn, und alsogleich spürte er im Geiste, was es sei. Schnell zog er seinen Fuß aus der Bewegung zurück, und sogleich wurde sein Schenkel vom Feind geschlagen, und in seiner Leiste entstand der Stoß eines heftigen Schmerzes. Jeder Teil seines Beines bis zu den Zehenspitzen wurde vom Leiden befallen, und von da an bis zu seinem Lebensende stand er auf einem Bein [170]). Aus der Stelle des Schlages fiel eine große Menge Würmer herab (auf die Erde [171])), von wo ich, sein Diener, sie auf sein Geheiß hin aufsammelte und sie an den Platz, von dem sie herabgefallen waren, zurückbrachte. Als sie zurückgebracht waren, sagte Simeon: ‚Freßt, was euch der Herr gibt'. [172])"

Die Würmer, die sich an der Stelle des satanischen Schlages an der eiternden Wunde der einen Stütze des Leibes bilden, entstehen nach der antiken Vorstellung aus der Urzeugung. Als vaterlose Geschöpfe, die unmittelbar von der mütterlichen Substanz der Erde hervorgebracht werden, sind sie ein Bild der Hoffnung, ja der in die Schöpfung gelegten Prophetie, daß die Todesverfallenheit der Ursünde in Leben verwandelt und das eiternde Fleisch ihrer Wunde von diesem Leben aufgezehrt wird. Sie gehören also zu dem einen Bein, das zwar den Leib des neuen Gottesvolkes nicht mehr trägt, doch noch immer die mütterliche Substanz des Heiles ist. Deshalb läßt sie Simeon immer wieder an die Wunde zurückbringen, wenn sie herabgefallen sind. Gerade aus dieser Wunde erwuchs nämlich die Rettung der Menschheit, indem Christus die Herrlichkeit seiner Gottheit verließ und vaterlos aus Maria als elender Wurm geboren wurde. In diesem Sinne haben die Väter den Psalmvers 21,7 „ich bin ein Wurm und kein Mensch" auf Christus bezogen. Maximus von Turin faßt diese Gedanken besonders deutlich zusammen, wenn er sagt: „Warum der Herr der ganzen Schöpfung sich mit einem Wurm verglichen haben wollte, dies können wir zwar als erstes der Erniedrigung zuschreiben, die die höchste Tugend der Heiligen ist, so wie sich der heilige Moses vor Gott als unverständiges Lebewesen bekennt, und David häufig daran erinnert, daß er ein Floh sei (1. Sam. 24,15 und 26,20). Aber mehr noch, glaube ich, kann man dieses annehmen, weil der Wurm durch keine Zumischung eines fremden Leibes von außen, sondern von der alleinigen und reinen Erde hervorgebracht wird. Deshalb wird jener mit dem Herrn verglichen, weil auch der Heiland selbst aus der alleinigen und reinen Maria geboren wird. Wir lesen auch im Buche Moses, daß aus dem Manna Würmer entstanden sind (Ex. 16,20). Der Vergleich ist vollkommen würdig und gerechtfertigt, wenn also aus dem Manna ein Wurm entsteht, so wird auch Christus, der Herr, von der Jungfrau hervorgebracht" [173]).

Aus der Todeswunde des alten Bundes, aus dem, was die zum Tode verletzte Erde unter dem Gesetz hervorbringt, entsteht der Menschensohn, das Heil und die Erhöhung der Menschheit, und wer diesen äußerlich elend erscheinenden Wurm freudig aufnimmt, in dessen Händen verwandelt er sich in die schönste Perle. Dies berichtet die Lebensbeschreibung des Antonius unmittelbar anschließend an das Aufsammeln der Würmer, die aus der Wunde Simeons herabgefallen sind: „Gemäß dem Ratschluß Gottes geschah es, daß der König der

Sarazenen wegen eines Gebetes [174]) zu ihm kam, und in dem Augenblick, als er nahe an die Säule herankam, um von dem heiligen Simeon selbst gesegnet zu werden, da sah ihn der Heilige Gottes und begann, ihn zu ermahnen. Und wie sie sich unterhielten, fiel ein Wurm aus seinem Schenkel herab. Der König ließ die Aufmerksamkeit fallen und, ohne zu wissen, was das Herabgefallene war, rannte er und ergriff es. Er legte es auf seine Augen und auf sein Herz und ging hinaus, wobei er es in seiner Hand hielt. Der Heilige klärte ihn mit den Worten auf: ‚Komm her, lege hin, was du aufgehoben hast, du bereitest mir, dem Sünder, Kummer. Es ist ein stinkender Wurm aus einem stinkenden Fleisch. Warum beschmutzt du, ein von Geburt vornehmer Mann, deine Hände? ‘ Als der Gerechte dies sagte, kam der Sarazene herein und sprach zu ihm: ‚Dies ist mir zum Segen und zur Vergebung der Sünden‘. Als er aber seine Hand öffnete, da war eine wertvolle Perle in seiner Hand. Als er sie sah, begann er, Gott zu preisen, und sprach zum Gerechten: ‚Siehe, was du einen Wurm bezeichnet hast, ist im Grunde eine Perle, für die keinerlei Preis angegeben werden kann. Durch sie hat mich der Herr erleuchtet.‘ Als er dies gehört hatte, sagte der Heilige zu ihm: ‚So wie du geglaubt hast, so soll dir alle Tage deines Lebens geschehen, nicht nur dir, sondern auch allen deinen Kindern‘. Und gesegnet zog der König der Sarazenen zu dem Seinen fort, und er blieb wohlbehalten im Frieden“ [175]).

f) Der Tod

In der Mönchsgeschichte von Theodoret, die in ihrer Hauptfassung noch zu Lebzeiten Simeons abgeschlossen wurde, ist der Tod des Heiligen in einer erweiterten Überarbeitung nachgetragen, die in einigen Handschriften erhalten ist. Diese Umarbeitung ist zwar sehr alt [176]), doch ist es fraglich, ob sie von Theodoret selbst vorgenommen wurde, da er möglicherweise bereits vor Simeon starb [177]). Der Tod Simeons wird in diesem Nachtrag als Beweis gegen diejenigen angeführt, die glaubten, daß der Heilige kein Mensch, sondern ein überirdisches Wesen war. Die Lebensweise des Heiligen konnte aber auch der Tod nicht bezwingen. Er mußte vielmehr ihr gegenüber seine Machtlosigkeit der ganzen Welt eröffnen, denn als unbesiegbarer Wettkämpfer Gottes blieb der Leib Simeons aufrecht auf der Säule stehen, so wie auch Antonius der Große den Ureremiten Paulus aufrecht knieend und mit zum Himmel erhobenen Händen in seiner Höhle tot auffand[178]). Simeon Metaphrastes hat später diesen Bericht vom Tode Simeons des Säulenstehers übernommen[179]). Die erweiterte Fassung der Schlußsätze des 26. Kapitels der Mönchgeschichte Theodorets lautet[180]):

„Nachdem er mit vielen Wundern und Mühen noch länger gelebt hatte, und als einziger von denen, die irgendwann einmal lebten, sowohl für die Sonnenglut wie für die winterlichen Fröste wie für die Stöße der heftigen Stürme wie für die Schwäche der menschlichen Natur unbezwinglich blieb, da war es schließlich an der Zeit, daß er sich mit Christus vereinige und die Kränze seiner unzähligen Kämpfe in Empfang nehme. Daß er ein Mensch sei, bestätigte er denen, die es nicht glauben wollten, durch den Tod, doch blieb er auch nach dem Hinscheiden aufrecht, und die Seele eroberte den Himmel, aber der Körper wagte selbst so nicht zu fallen, vielmehr stand er aufrecht am Ort der Kämpfe da, wie ein unbesiegbarer Wettkämpfer, der mit keinem Teil seiner Glieder die Erde berühren will. Auf diese Weise bleibt den Kämpfern für Christus der Sieg, der sie auch durch den Tod hindurch begleitet[181]). Heilungen von verschiedenartigsten Leiden, Wunder und Kräfte göttlicher Wirksamkeiten ereignen sich auch jetzt so, wie zu der Zeit, als er noch lebte, und zwar nicht nur am Schrein seines heiligen Leichnams, sondern auch an der Gedächtnisstelle seines Heldenmutes und seines langdauernden Kämpfens, das heißt an der großen und berühmten Säule dieses gerechten und viel besungenen Simeon, durch dessen heilige Vermittlungen, so wünsche ich, auch mir Hilfe gebracht werde, um in diesen edlen Mühen auszuharren und zum Wandel nach dem Evangelium hingeführt zu werden“ [182]).

Der Tod vermag das neue, erlöste Gottesvolk nicht mehr zur Erde zurückzuneigen, da dessen Kraft nicht aus der Natur des Menschen erwächst und mit ihr endet, sondern ihm in der Gnade von außen her zukommt und somit nicht dem naturhaften Schwinden unterliegt. Wie in den frühen Kreuzesbildern, so ist auch hier der Tod das Siegel des Lebens, sein letztgültiges Zeichen, in das der ganze Sinn des Lebensweges eingeprägt ist: „Bei allen Kreuzesbildern der Frühzeit ist im Anblick . . . der eingetretene Tod festgehalten, das, was nach dem Tod auf dem Antlitz des Menschen liegt, so daß die Aussage der Erhabenheit und des Friedens, je stärker sie ist, auch die gesteigerte Qual alles vorher erlittenen spiegelt“ [183]).

Auch die Lebensbeschreibung des Antonius und die syrische Vita, die beide den Tod Simeons sehr viel ausführlicher berichten, versuchen dies festzuhalten. Dabei geht jeder dieser Berichte in seiner Darstellung einen besonderen Weg, auf dem er dem inneren Sinn, den das Leben des Heiligen verkündet, nachspürt, ein Sinn, der sich im Tode vollendet hat, und der nur in der eigenen Anteilnahme und jenseits der äußeren Fakten erfahrbar wird. Als Ganzes kann dieser Sinn jedoch nicht dargestellt werden, da die Aussagefähigkeit des Menschen nur Ausschnitte, nur einzelne Aspekte, zu erfassen vermag. Die einzelnen Berichte können daher nur auf diesen Sinn verweisen, indem sie bewußt diesen Mangel des Menschen annehmen und nicht aus der sicheren Fülle von Tatsachen sprechen, sondern einzelne Kerben schlagen, durch die hindurch sich der Blick des Hörers wie auf ein weites Land öffnet. In dieser Bezogenheit ergänzen sie sich gegenseitig gerade durch ihre Unterschiedlichkeit, während sie auf die neutrale Frage nach den äußeren historischen Fakten keine Antwort geben können und wollen. So, wie Simeon in seinem Leben keine Taten setzte, die die Welt sichtbar veränderten, sondern seine ganze Lebensführung eine kontinuierliche Wegnahme seiner selbst war, ein immer tieferes Graben nach der hinter der äußerlichen Sichtbarkeit verborgenen Schönheit der Schöpfung, so können auch seine Biographen nur dann auf den Sinn dieses Lebens verweisen, wenn sie durch die allen bekannten äußeren Fakten hindurchdringen. Pseudo-Dionysius Areopagita stellt diesen kreatürlichen Erkenntnisvorgang im zweiten Kapitel seiner berühmten Schrift über die Mystische Theologie folgendermaßen dar:

„Wir wünschen, daß wir zu dieser jenseits des Lichtes liegenden Dunkelheit gelangen und durch Nichtsehen und Nichtwissen hindurch wahrnehmen und das Jenseits des Sehens und des Erkennens erfahren, eben das Nichtwahrnehmen und das Nichterkennen. Dies nämlich bedeutet, das Eigentliche wahrzunehmen und zu erkennen und das jenseits des Stofflichen sich Befindliche auf überstoffliche Weise durch die Wegnahme alles Seienden im Munde zu führen, so wie diejenigen, die ein selbstgeschaffenes Bildwerk herstellen, alle Hindernisse, die über die reine Schau des Verborgenen gelegt sind, wegschlagen und seine ihm eigene, verborgene Schönheit allein durch die Wegnahme sichtbar machen. Es ist nämlich notwendig, glaube ich, die Wegnahmen in umgekehrter Reihenfolge wie die Setzungen im Munde zu führen. Diese stellten wir nämlich auf, indem wir von den obersten ausgingen und über die mittleren zu den untersten herabstiegen [184]). Hier aber, indem wir die Aufstiege von den untersten zu den alles beherrschenden durchführen, nehmen wir alles weg, damit wir unverhüllt jenes Nichtwissen erkennen, das durch alles Erkennbare in jedem Ding verhüllt worden ist, und jene überstoffliche Dunkelheit wahrnehmen, die von jedem Licht, das in den Dingen ist, verhüllt wird“ [185]).

Nach Antonius stirbt Simeon trotz der versammelten Menschenmenge von allen unbemerkt und tritt so, ohne vom äußeren Licht verhüllt zu sein, in jene überstoffliche, alles umfassende Dunkelheit ein. Inmitten des Gottesvolkes vollendet er im Tod die Einsamkeit des Eremiten, dessen ganzes Leben ein Aufbruch und ein Weggang von dieser Welt war. Deshalb wird in dieser Lebensbeschreibung sein Sterben mit dem Freitag verknüpft, dem Tag, an dem Christus durch seinen Tod in der hohen Einsamkeit und Verlassenheit des Kreuzes die Schöpfung erneuerte. Die griechische Version A berichtet:

„Der Selige stand 47 Jahre auf verschiedenen Säulen, und nach all diesem holte ihn (der Herr [186])). Und es war Freitag. Er war zum Gebet eingeschlossen, und, so wie er gewohnt war, verbrachte er den ganzen Freitag, und am Samstag und am Sonntag erhob er sich auch nicht wie gewöhnlich, um diejenigen zu segnen, die das Knie gebeugt hatten. Als ich dies sah, stieg ich zu ihm hinauf, und ich sah sein Gesicht, und es war leuchtend wie die Sonne. Obwohl er die Gewohnheit hatte, mich anzusprechen, gab er mir kein Wort. Da sprach ich zu mir selbst, daß er gestorben sei. Doch wiederum zweifelte ich und fürchtete, mich ihm zu nähern, und als ich Mut gefaßt hatte, spreche ich zu ihm: ‚Herr, warum sprichst du nicht zu mir und vollendest dein Gebet? Die Welt wartet, daß sie gesegnet werde, siehe, bereits drei Tage!‘ Als ich eine weitere Stunde gestanden war, spreche ich zu ihm: ‚Mein Herr, du gibst mir kein Wort!‘ Da streckte ich meine Hand aus und ergriff seinen Bart, und als ich bemerkte, daß sein Körper schlaff war, wußte ich, daß er gestorben war. Ich legte mein Gesicht in meine Hände und weinte bitterlich, dann beugte ich mich und küßte ihm den Mund, die Augen und den Bart, ich hob sein Gewand hoch und küßte seine Füße, und ich ergriff seine Hand und legte sie auf meine Augen. An meinem ganzen Körper und an seinen Gewändern haftete der Duft von Balsam, so daß ich durch diesen Wohlgeruch von Freude erfüllt wurde. Ich stand etwa eine halbe Stunde und richtete meine Aufmerksamkeit auf seinen ehrwürdigen Leichnam, und siehe, ich hörte eine Stimme, die sprach: ‚Amen, Amen, Amen‘. Und von Furcht ergriffen, sprach ich: ‚Segne mich, Herr, und gedenke meiner in deiner herrlichen Herberge‘.

Dann stieg ich herab und eröffnete niemanden das Geheimnis, damit kein Aufruhr entstehe, vielmehr ließ ich durch einen zuverlässigen Mann die Nachricht dem Bischof von Antiochien, Martyrios, und dem Militärbefehlshaber Ardaburios zukommen. Am folgenden Tag bricht der Bischof von Antiochien mit weiteren sechs Bischöfen auf. Auch Ardaburios bricht mit sechshundert Ausgezeichneten auf, damit nicht die Dörfer, die sich versammelt hatten, den ehrwürdigen Leichnam rauben. Dies faßten sie nämlich ins Auge. Es waren Vorhänge rund um seine Säule gehängt. Dann steigen drei Bischöfe hinauf, küssen seine Gewänder und sprechen drei Psalmen. Sie hatten einen Bleisarg mitgebracht und legten seinen heiligen Leichnam hinein, und sie lassen ihn mit Seilzügen herab, und da wußten alle, daß der heilige Simeon gestorben war, so daß auch alle Sarazenen sich unter Waffen und mit Kamelen versammelten, denn auch sie wollten den Leichnam rauben. Es entsteht ein Durcheinander von Menschen, so daß man den Bergrücken wegen der Menge und wegen des Rauches von Weihrauch und von unzähligen brennenden Kerzen und Fackeln nicht mehr sehen konnte. Die Klagelaute der Männer, der Frauen und der Kinder drang bis in eine weite Ferne vor, und der ganze Bergrücken wurde geschüttelt vom Weheruf der Vögel, die sich gesammelt hatten und die Umfriedung des Heiligen umflogen. Als sie ihn nun herabgebracht hatten, stellten sie ihn auf den Marmoraltar, der sich vor seiner Säule befand. Er war bereits vier Tage tot. Dennoch lag sein heiliger Leichnam da wie eine Stunde nach seinem Tode. Alle Bischöfe gaben ihm den Friedenskuß. Sein Antlitz war ganz klar wie das Licht, und die Haare seines Hauptes und seines Bartes waren wie Schnee . . ." [187]).

Die griechischen Versionen lassen es offen, an welchem der drei Tage, an denen durch das Sterben und die Auferstehung Christi die Schöpfung erneuert und ihre selbsterworbene Einschließung in das Schicksal des Todes durchbrochen wurde, Simeon gestorben ist. Die Stunde und der Tag seines vor allen irdischen Zeugen verhüllten Sterbens liegt im Dunkel der Geheimnisse dieser Tage, an denen auch die endzeitlichen Ereignisse der Erlösung gefeiert werden. Das reglose Versunkensein im Gebet während der Zeit der Grabesruhe Christi ist aber möglicherweise auch eine später eingefügte und daher im Satzbau nicht ganz klare Erweiterung, mit der ausgesagt werden soll, daß Simeon nach seinem Tode am Freitag bis zum österlichen Auferstehungstag bei der Vollendung der irdischen Zeit weiterhin in seinem Gebet über der Welt verharrt. Eindeutig nennt nämlich die bei Lietzmann abgedruckte lateinische Version den Freitag als den Todestag Simeons. Hier geht das Sterben des Heiligen ganz im Tode Christi auf, dem umfassenden Ereignis des sechsten Tages, das alles Sterben der Welt umschließt und verwandelt. An diesem Tage muß sich der Tod vor allen Zeugen verhüllen, da seine Macht gebrochen ist. So wird auch das Entschlafensein Simeons am Tage der Grabesruhe des Herrn, dem Ruhetag nach der Schöpfung der Welt und ihrer Erneuerung durch den Erlöser von Antonius festgestellt [188]). Das Ereignis des achten Tages, die sich mit der Auferstehung vollendete Zeit, steht noch bevor [189]):

„Der sehr heilige Simeon stand 47 Jahre auf der Säule. Danach starb er im Frieden, indem er von seinem Körper schied, so wie er immer hinzuscheiden und mit Christus zu sein gewünscht hatte. Er ahmte nämlich den Einsiedler Paulus nach, übergab nach dessen Weise Christus seinen heiligen Geist [190]). Denn am Freitag, als er sich zum Gebet niedergebeugt hatte, übergab er den Geist. Am nächsten Tag stieg ich zu ihm hinauf und sah sein Gesicht voll Anmut, und es freute sich, so wie immer, wenn er mich sah, (doch) gab er mir weder durch Winke noch durch irgend ein Wort ein Zeichen. Ich sagte jedoch bei mir, daß er gestorben sei, und wiederum glaubte ich es nicht . . .“ [191]).

Die zweite Version in den Acta Sanctorum, die auf sehr alten lateinischen Handschriften aufbaut [192]), gibt als Todestag Simeons ebenfalls den Freitag an. Die drei Tage aber, die der Heilige während der Zeit der Grabesruhe Christi reglos im Gebet niedergesunken ist bis sein siegreicher Tod von Antonius am sonntäglichen Auferstehungstag festgestellt wird, werden als die Tage beschrieben, an denen das Volk auf die Segnung wartet. Indem also der Heilige, anstatt als Lebender die Fülle der Segnung zu spenden, nach seinem Weggang während der Tage der äußersten heilgeschichtlichen Ereignisse über der

Gemeinde im Gebet verharrt, wird der Sinn, den die Vita des Antonius in das Sterben Simeons legt, in einer neuen und eigenen Weise ausgesagt: „Nach vielen Jahren, als der Tag seines Sterbens herankam, da geschah es an einem Tag, das heißt am Freitag, daß er sich wie gewöhnlich zum Gebet niederneigte und zum Herrn hinüberwanderte. Und alles Volk erwartete von ihm den Segen, indem es vom Freitag bis zum Sonntag ausharrte. Der Heilige blieb drei Tage lang so, wie er sich niedergeneigt hatte. Darauf stieg ich angsterfüllt zu ihm hinauf . . .“ [193]).

Der Freitag als der Todestag Simeons und der Samstag als der Tag, an dem sein Tod von Antonius festgestellt wurde, dürfte auch dem Bericht zugrundeliegen, daß der Heilige vier Tage nach seinem Tode in Anwesenheit von sechs Bischöfen auf dem Altar vor seiner Säule aufgebahrt wurde. Allerdings darf dann für die etwa 75 km lange Strecke zwischen dem Bergrücken Simeons und der Hauptstadt Antiochien, die der ausgesandte Bote und die herbeieilenden Bischöfe und Soldaten zurücklegten, nicht gerade, wie bei Paul Peeters, die Tagesleistung von Wandervereinen zugrundegelegt werden [194]). In erster Linie will aber diese Zeitangabe kein auf seine äußerliche Glaubwürdigkeit nachprüfbares Maß mitteilen, sondern den inneren Sinn des Todes von Simeon weiterführen. Der Heilige, dessen Sterben ganz in die letzten Ereignisse der Erlösung eingebunden ist, wird auch nach der sicheren irdischen Todeszeit von vier Tagen, der Zeit, die die Grabesruhe Christi um einen Tag überschreitet, vor den äußeren Zeichen des Todes, der zerstörenden Verwesung des Leibes, bewahrt. So bekundet sich an seinem Körper, daß er wie Lazarus nach Joh. 11,39–44 untrüglich am Ende der Zeiten vom Erlöser auferweckt wird.

Die letzte Verkündigung Simeons liegt also nicht in seinem Sterben, sondern in den Zeichen seiner Unüberwindbarkeit durch den Tod, eben weil sein Leben vom Tod und von der Auferstehung Christi umschlossen war und in dieser Gewißheit entlang der Grenze der äußersten Leid- und Todeserfahrung geführt wurde, eine Grenze, die jeder Mensch spätestens in der Stunde seines Todes erreicht, und die die eigentliche Prüfung seiner Lebenskraft ist. Nach diesem Lebensgang kann der Tod für Simeon kein öffentliches Zeugnis mehr sein. Er ist vielmehr die Vollendung seines wahren Eremitentums, der Aufbruch zu seinem letzten Aufstieg, und so ein Bild des endzeitlichen Sterbens der Kirche, die dann nicht mehr den Tod Christi der Welt verkündet und nicht mehr aus ihrer Einschließung in diesen Tod zur Segnung der Schöpfung aufsteht, sondern den letzten Gang zur Vereinigung mit dem Bräutigam antritt. Der Tod des Heiligen hat deshalb im Unterschied zum Tode Christi keine Zeugen. Demgegenüber sind die Zeichen des Sieges, die Zeichen, daß Simeon die Todesgrenze in der Nachfolge des Erlösers als Lebendiger überschritten hat, unübersehbar: Sein Gesicht ist leuchtend wie die Sonne, an seinen Gewändern haftet der Duft der Heiligkeit, der odor sanctitatis, der auch den Leib seines Schülers Antonius erfaßt, und wie Lazarus zeigt sein Körper nach der sicheren Todeszeit von vier Tagen keine Verwesungszeichen.

Ein ganz anderes Bild zeichnet die syrische Lebensbeschreibung vom Tode Simeons und eröffnet damit von einer neuen Seite den Blick auf den inneren Sinn dieses Lebens. Der Tod des Heiligen ist hier nicht das Bild des endzeitlichen Sterbens der Kirche, ihres letzten, zeugenlosen Überstieges in die Vereinigung mit dem himmlischen Bräutigam, sondern er führt ihn in den Mittelpunkt der Fülle der neuen Zeit. So ist dieses Sterben nicht im schweigenden Gebet in die letzten Ereignisse der Erlösung eingeschlossen, in die Tage zwischen dem Tod und der Auferstehung Christi, sondern es schließt sich an diese Ereignisse an und beginnt schmerzhaft in der Stunde, in der die Grabesruhe Christi beendet ist. Damit führt es die Erlösungstat in die Zeit hinein, die dem neuen Gottesvolk bis zur Wiederkehr des Menschensohnes zur Vollendung des geschichtlichen Ganges der Schöpfung übertragen ist. Dieser Tod vollzieht sich nicht in der zeitlosen Einsamkeit des Eremiten, sondern er hat innerhalb des Zeitenmaßes seinen genauen Ort, der bereits vorher dem Heiligen geoffenbart wurde, und der auch in genauen Tages- und Stundenangaben in der Vita festgehalten werden muß. Er wird ferner durch himmlische Zeichen angekündigt, durch die die Menschheit in großer Zahl zu Simeon hinzieht und sich um ihn sammelt. So vollendet sich sein Leben räumlich und zeitlich im Mittelpunkt der Fülle der neuen Zeit.

Als Simeon vor seinem Aufstieg auf die immer höheren Säulen sieben Jahre in der Ecke der Umfriedung gestanden hatte, wurde ihm in einer Vision von zwei Männern das Maß von vierzig Ruten abgemessen [195]), das Maß seiner Wanderung durch die irdische Läuterung und Bewährung, das ihn nicht nur immer näher zum letzten Ziel seines Lebensganges emporheben, sondern auch stets weiter in den Mittelpunkt der Menschheit hineinführen sollte. Wie der Wüstengang, der das alte Gottesvolk aus der Knechtschaft in Ägypten zu den Gefilden des gelobten Landes führte, so war dieses Maß vierzig Jahre nach seiner Ausmessung durchschritten, und seine Vollendung kündigte sich durch „das Zeichen der Gottesstrafe, das sich über der Stadt Antiochien ereignete" [196]), an. Dieses Zeichen war vermutlich ein heftiges Erdbeben [197]), das die Menschen aus der gewohnheitsmäßigen Hingabe an ihre täglichen Arbeiten und aus der Bequemlichkeit ihrer Behausungen wegtreibt, so daß ihre Sinne befreit werden und sich in ihrer ganzen Aufmerksamkeit dem Heiligen zuwenden können:

„Sein Herr aber machte ihm einen Weggang, wie er nach meiner Meinung den von Weibern Geborenen in diesen Zeiten nicht zuteil wurde [198]). Es gab nämlich eine endlose und unbeschreibliche Ansammlung dieses Volkes und dieser Menschheit 51 Tage lang im Anschluß an dieses (B: letzte) Zeichen, das in der Provinz geschah, und niemand wagte auch nur sein Haus zu betreten außer mit Zittern. (B: Auch auf das Feld ging niemand hinaus außer in Furcht.) Eine Arbeit verrichtete überhaupt niemand von allen Menschen, sondern über alle war der Schrecken ausgebreitet, die Hände aller waren kraftlos geworden, der Verstand aller war zerstreut und geschwunden, sie standen und warteten gespannt, was der Begnadete ihnen auftragen würde, und wie aus dem Munde seines Herrn warteten sie darauf, den Auftrag von seiner Heiligkeit entgegenzunehmen"[199]).

Am großen Gedenktag, den Simeon jährlich feierte, seit durch die Bekehrung des Volkes auf seine Ermahnung hin eine große Trockenheit beendet wurde[200]), kam von ihm, wie ein heilsamer und fruchtbarer Regen, die Tröstung für die Menschheit, die durch das Gotteszeichen aus der Dürre ihres bequemen Geborgenseins aufgeschreckt war und deren Sinne durch die ständig lauernde Bedrohung geöffnet wurden. Diese Tröstung kam aber nicht, wie für die Apostelgemeinde am Pfingsttage, nach der Wartezeit von fünfzig Tagen, sondern, wie um einen Tag in der Geschichte vorangeschritten, 51 Tage nach der Erschütterung:

„Als die erwähnten 51 Tage vorüber waren, da war auch jener große Gedenktag des Monats Juli. Nach diesem wurde kein weiterer Gedenktag mehr begangen, und niemand vermag seine Ansammlung zu beschreiben, denn niemals seit Anbeginn der Welt wurde vernommen, daß einer wie dieser unter der Menschheit war. Gott trieb nämlich die ganze Erde an, so daß er sie zu seinem Friedensgruß und zur Ehrung seines Geliebten herbeibrachte und ihm seine Ehre zu seinen Lebzeiten erwies, so wie er es dem heiligen Moses getan hatte, als er ihn den Berg besteigen ließ, ihm das Land der Verheißung zeigte und ihn dann heimführte[201]). Auch er, der begnadete Mar Simeon, rief alle Menschen auf, die Priester und ihre Gemeinden, die Großen und die Kleinen, stärkte sie und tröstete sie und trug auf und ermahnte sie, die Gesetze und Vorschriften unseres Herrn zu beachten, wie ein guter Vater voll Erbarmen, der seinen klugen (B: geliebten) Kindern Anweisungen gibt, und sagte zu ihnen: ‚Gehet hin im Namen (B: Frieden) unseres Herrn Jesus Christus und haltet in euren Dörfern drei Tage lang Vigilien, dann gehet hinaus im Namen unseres Herrn und legt Hand an die Arbeit, so daß jeder seine Arbeit tut. Ich vertraue auf Gott, den Herrn, daß er euch der Beschützer sein wird.' "[202])

Die Menschenscharen, die Gott bei Simeon versammelte, sind für den Heiligen das Land der Verheißung, die Fülle der neuen Zeit, an deren Schwelle ihn sein Leben herangeführt hat, und die er wie Moses vor seinem Tode schaut. Danach folgten für ihn noch dreißig Tage, die Zeit der letzten Reife, bevor sich sein Leben in einem viertägigen Sterben vollendete, das, wie bereits erwähnt, in der Morgenfrühe des sonntäglichen Auferstehungstages begann, in der Stunde, in der die Grabesruhe Christi beendet wurde, also mit dem Anbruch der neuen Zeit des erlösten Gottesvolkes. Diese Zeit war am Anfang eine Zeit der Bedrängnis, und auch Simeon wird zu Beginn dieser vier Tage, die in der Zahl der irdischen Ganzheit im letzten Lebensabschnitt des Heiligen noch einmal den ganzen Sinn seines Lebensganges aufnehmen, von Schmerzen und von großer Sommerhitze bedrängt. Auch die Angabe, nach der dieses Sterben am 29. August beginnt, dürfte auf diesen Sinn hinweisen, denn dieser Tag ist nicht nur der Gedenktag der Enthauptung Johannes des Täufers, des Mannes, der genau auf der Scheide zwischen der alten und der neuen Zeit steht, sondern auch der Neujahrstag der diokletianischen Ära martyrum. So verdichten sich die letzten Tage dieses großen Heiligen noch einmal zu einem Bild seiner unermüdlichen und leibhaftigen Verkündigung, durch die er das neue Gottesvolk an die Fülle der neuen Zeit herangeführt hat:

„Nachdem er jeden im Frieden hatte an seine Arbeit ziehen lassen, vergingen dreißig Tage. Am 29. im Monat August, in der elften Stunde des Samstag, als der Sonntag aufleuchtete[203]), erfaßte ihn plötzlich ein Unwohlsein als einige seiner Jünger bei ihm standen, und es setzte sich ein Leiden fest und schmerzte, und er spürte es an seinem Körper, und er blieb in diesem Unwohlsein den Sonntag, den Montag und den Dienstag. Es wurde ihm aber von Gott eine Gnade erwiesen, und wegen ihrer Größe kann sie wohl nur schwerlich geglaubt werden. Aber für die Gläubigen ist das glaubhaft, denn sie wissen, daß all dies für ihren Herrn leicht ist. Es geschah nämlich folgendes Zeichen: Es war nämlich eine drückende und starke Hitze, so daß von ihrem Dunsthauch die Erde in jenen Tagen am Ende des August und zu Anfang des September verbrannt war. Da geschah an dem Heiligen diese Gnade, von der ich sprechen werde. Wohl wegen ihm entstand auch diese heftige Hitze, gleichsam wie zur Krisis [204]). Wegen dieses Zeichens ordnete nämlich sein Herr an, daß ihm aus dieser Welt ein Unterpfand für seine Mühe gegeben werde. Es wehte nämlich ein sanfter, kühler und sehr lieblicher Wind, und wie himmlischer Tau rieselte er über den Begnadeten. Und lieblicher Duft stieg von ihm auf, dessen Gleichen noch nie in der Welt berichtet wurde, und nicht nur ein einziger Duft, sondern es kamen Wolken auf Wolken, deren Düfte von einander verschieden waren. Weder Gewürze noch gute und liebliche Arzneien, die es auf der Welt gibt, können mit den Düften dieser Wolken verglichen werden, denn es war eine ausgewählte Geste und Anordnung Gottes. Nicht überall stiegen sie auf, auch nicht an der ganzen Leiter, sondern von ihrer Mitte an und weiter aufwärts kamen Wolken auf Wolken hervor, ebenso (B: und nicht) in der ganzen Umfriedung, doch niemand merkte es wegen jenem (B: Räucherbecken), das duftete. Aber jener erste Jünger von ihm, den er liebte, und der beständig bei Tag und bei Nacht bei ihm war und sich überhaupt nicht von ihm entfernte, besonders in jenen Tagen seines Sterbens (B: Unwohlseins), nahm es wahr . . ." [205]).

Nach der letzten Bedrängnis, die den Heiligen wie die Krisis einer schweren Krankheit bereits in dieser Welt in die Frische des neuen Lebens führt, wird der Ort seines irdischen Aufstieges vom Duft der Heiligkeit, dem odor sanctitatis, umflutet, der als Zeichen des der Schöpfung wiedergeschenkten Lebens den Modergeruch des Todes vertreibt. Wie das Geheimnis des Todes Christi, das Herausfließen von Blut und Wasser aus der Wunde des Lanzenstoßes, durch den Lieblingsjünger Johannes bezeugt wird, so wird auch das Wunder dieser Verwandlung des Leidens, das die gnadenhafte Neuschöpfung der

Welt aus der Seite des Menschensohnes sichtbar macht, durch den Lieblingsjünger des Heiligen bezeugt, der sich ebenfalls Johannes nennt [206]). Auch hierin zeigt also die syrische Vita, daß das Leben des Heiligen die Erlösungstat in die Geschichte hinein weiterführt. Es ist ein Sterben, das nicht mehr tödlich ist, weil es mit der Stunde der Auferstehung des Herrn beginnt. Der Tod des Erlösers, von dem es ganz umschlossen ist, wird von ihm in die neue Zeit hineingetragen.

Simeon stirbt daher zwar in der gleichen Stunde wie Christus, doch nicht am Freitag, sondern am Mittwoch. An diesem Tag wurde im Hohen Rat von Jerusalem der Tod des Menschensohnes beschlossen und der Verrat mit Judas vereinbart. Es ist also der Tag, an dem das alte Gottesvolk sein Ende selbst beschließt, und dieses Ende unausweichlich wird. Zugleich ist es der vierte Tag der Schöpfungswoche, an dem die Himmelsleuchten erschaffen wurden, unter denen die Sonne das Bild Christi ist und der Mond das Bild der Kirche, die ihr Licht von Christus empfängt, so wie der Mond von der Sonne. Den ganzen heilsgeschichtlichen Sinn dieses Tages, der, wie Anastasius Sinaites sagt, als erster der Schöpfungstage für die Welt vollkommen war [207]), sahen die Väter im Psalmvers 103,19 verkündet: „Er stellte den Mond über die Zeiten, die Sonne kannte ihren Untergang". Christus, die Sonne, der von Anfang an seinen Untergang kannte, stellte für die Dauer seines Wegganges das Licht der Kirche über die Zeiten. So weisen die Himmelsleuchten bereits vom Tag ihrer Schöpfung an auf die Fülle der neuen Zeit, in der sich Christus und seine Kirche im Spannungsfeld der Geschichte gegenüberstehen. Der vierte Tag ist daher für das neue Gottesvolk der Tag, an dem der Acker des Herrn mit fünf Joch Ochsen, das heißt mit den fünf Sinnen, bestellt wird [208]), und entgegen heidnischen Vorstellungen galt er den Christen seit frühester Zeit als günstiger Tag für die Feldbestellung. Von diesem Tag aus muß der Weg der letzten zwei Tage durch Verrat und Leiden hindurch gegangen werden, so wie er unabdingbar im Plan des Vaters begründet ist und vom Sohne hingenommen wurde. Dieser Gang gelingt nicht aus der eigenen Machtvollkommenheit, sondern nur in der Aufgabe aller setzenden Strebungen, im Hinhorchen auf diesen Plan. So ist bereits in der Didache der zwölf Apostel neben dem Freitag der Mittwoch als Fasttag festgesetzt [209]), als Tag des Verrates und des Todesbeschlusses, dessen Arbeit der Mensch nicht aus sich selbst vollenden kann. In der Nacht, die dem Mittwoch der Karwoche vorausging, wurde das Leiden am Bein Simeons durch einen göttlichen Eingriff geheilt und seine Arbeitskraft wieder hergestellt, nachdem er alle menschliche Hilfe zurückgewiesen hatte [210]), und in der neunten Stunde des Mittwoch starb der Heilige im Kreise seiner Jünger und im Angesicht der ganzen Welt, nach der 56 Jahre lang die natürliche Kraft seines Leibes an die äußersten Grenzen der Ermattung und des Todes geführt hatte, um allein aus der übernatürlichen Kraft des Erlösers zu leben:

„Am Mittwoch, am 2. September, in der neunten Stunde, als alle seine Jünger bei ihm standen, stellte er diese beiden über ihre Mitbrüder und empfahl sie alle unserem Herrn. Dann erhob er sich und richtete sich auf, beugte sich wie plötzlich dreimal nieder und blickte zum Himmel und wandte sich schließlich um und blickte auch auf die ganze Welt. Und die ganze Welt (B: das ganze Volk), die dort war, rief: ‚Segne, Herr'. Er blickte nach Osten und nach Westen und nach allen Himmelsrichtungen, und er erhob seine Hand aus der Kutte und segnete sie und empfahl sie dreimal unserem Herrn. Als nun seine Jünger dastanden und ihn wie Söhne einen guten und milden Vater festhielten, da sprachen sie zu ihm: ‚Herr, segne deine Knechte. Wir bitten deinen Herrn, daß er dir den Willen erfüllt und dich nun zu sich aufnimmt, wie du es von ihm erfleht hast'. Danach faßte er diese beiden an der Hand und trug ihnen gegenseitig auf, daß sie einander lieben sollten, und er stellte sie auch über ihre Mitbrüder. Dann erhob er seine Hand zum Himmel und empfahl sie unserem Herrn. Und noch einmal hob er seine Augen zum Himmel empor und schlug dreimal mit seiner Rechten auf sein Herz, und er beugte sich nieder und legte sein Haupt auf die Schulter jenes ersten Jüngers. Seine beiden Jünger legten ihre Hände auf seine Augen, und er übergab seinen Geist seinem Herrn und entschlief, und es ruhte die Arbeit und die Mühe und die Qual. Da lag sein Haupt auf der Schulter dieses Jüngers, da lagen ihre Hände auf seinen Augen, da stand die ganze Menschheit und blickte auf ihn"[211]).

Nicht in der zeugenlosen Einsamkeit der äußersten Ereignisse, sondern wie eine liturgische Feier in der Mitte von Raum und Zeit vollzieht sich nach der syrischen Beschreibung der Tod des Heiligen. In dieser Darstellung liegt dasselbe Maß der Handlungen und Gesten wie in den frühen Bildern der Kreuzabnahme Christi. Jede Augenblicksdramatik und jeder persönliche Schmerz, mag er auch noch so tief sein, zerrinnt vor der Größe dieses Ereignisses. Die weltumfassenden Maße des Todes Christi, die jede liturgische Feier bestimmen, verwandeln den Tod selbst in eine Liturgie.

Die neuere Forschung bemühte sich mit großem Scharfsinn durch diese „Stilisierungen" hindurch nach den Angaben der syrischen Lebensbeschreibung und der Vita des Antonius und unter Zuhilfenahme von Daten aus Chroniken, Hagiographien, Synaxarien und Menologien das genaue Todesdatum Simeons zu bestimmen. Ohne auf Einzelheiten einzugehen, seien hier lediglich die verschiedenen Ergebnisse mitgeteilt: Lietzmann[212]) gibt der Beschreibung des Todes bei Antonius den Vorzug und sieht in der syrischen Darstellung „die stark stilisierte offizielle Klosterlegende von Telneschin"[213]). Der in der syrischen Vita genannte Tag und das Datum des Todes ergänzen sich aber seiner Meinung nach mit den übrigen Quellen so genau, daß er annimmt, daß Simeon am Mittwoch, dem 2. September 459[214]), „unbemerkt von seinen Jüngern"[215]), gestorben ist. Demgegenüber versucht Delehaye[216]) grundsätzlich vom Bericht des Antonius auszugehen und errechnet den Todestag Simeons auf Freitag, den 24. Juli 459. Der 1. September dieses Jahres ist nach seiner Auffassung der Tag, an dem der Leichnam des Heiligen in der großen Kirche von Antiochien beigesetzt wurde. Peeters wiederum, der mit dem Bericht des Antonius am härtesten ins Gericht geht [217]), kommt zum gleichen Ergebnis wie Lietzmann und nennt Mittwoch, den 2. September 459, als den Todestag des Heiligen [218]). Die neuesten ausführlichen Untersuchungen stammen von Festugière, der wie Delehaye den Bericht des Antonius zugrundelegt, den Tod Simeons aber auf Sonntag, den 26. Juli 459, datiert, also auf den Tag, an dem nach der griechischen Version der Tod des Heiligen festgestellt wurde [219]). Diese Ergebnisse mögen zeigen, daß keine der Lebensbeschreibungen Simeons auf die Frage nach den äußeren historischen Fakten eine Antwort geben will, und daß diese Frage, die ohnehin nicht an den Sinn der Lebensverkündigung des Heiligen heranführt, gar nicht gestellt werden sollte.

Im Triumphzug wurde der Leib Simeons vom Ort seiner Kämpfe und seines Aufstiegs in die Hauptstadt Antiochien überführt: „Fünf Tage lang zog der Leib des Heiligen ein und wurde geleitet. Am Montag zog er aus der Umfriedung aus, und am Freitag zog er in die große Stadt Antiochien mit großem Geleit und mit gewaltigem und unbeschreiblichem Lobgesang ein. Weihrauch qualmte, Fackeln leuchteten und gute Wohlgerüche verbreiteten sich vor ihm über alles Volk, das vor ihm herzog. Psalmen und geistliche Lobgesänge wurden vor ihm zelebriert, bis er hineinging und in der großen Kirche beigesetzt wurde, welche der siegreiche Kaiser Konstantin – sein Andenken sei gesegnet (B: in beiden Welten) – erbaut hatte. Vorher war dies noch keinem von den Begnadeten geschehen, weder den ersten noch den letzten. Noch niemals war nämlich jemand in der großen Kirche beigesetzt worden, weder von den Propheten noch von den Aposteln noch von den Glaubenszeugen. Allein der begnadete Mar Simeon wurde nach seinem Tode in der großen Kirche beigesetzt“ [220]). Eine Nachschrift der Version B, die in A fehlt, gibt das Datum dieses Triumphzuges an: „Er entschlief am zweiten des Monats und zog am 21. September aus der Umfriedung aus, und am Freitag, am 25. des Monats, zog er in die Hauptstadt Antiochien ein. Am Montag zog er also aus, und am Freitag zog er ein, nach fünf

Tagen in Freude und mit gewaltig großem Geleit. Sein Andenken sei gesegnet, und sein Gebet sei in Ewigkeit über der Schöpfung. Amen." [221])

Mit der Beschreibung dieses Triumpfzuges wird der Sinn, den die syrische Vita am Leben Simeons hervorhebt, zu Ende geführt. Simeon ist der Mittelpunkt der Gläubigen bei ihrem Gang in die Vollendung der Zeiten, und dieser Gang ist die Nachfolge Christi durch die fünf Tage der Leidenswoche, ein Gang, der aber nicht mehr in die Verdammnis des Todes, sondern von der irdischen Stätte des Kampfes und des Aufstiegs in das jungfräuliche himmlische Jerusalem führt. So wird Simeon am gleichen Tag wie Christus und wie er in eine Grabstätte gelegt, in der noch niemand vor ihm bestattet wurde [222]), und die gleichsam für ihn vom ersten christlichen Kaiser erbaut wurde. Sie ist also ein Bild der geistigen Kirche, die vom uranfänglichen Weltenkaiser Christus erschaffen wurde. Auch im Grabe Christi sahen die Väter ein Bild seiner jungfräulichen Mutter und Braut, und seit frühester Zeit wird es häufig in der Form einer Kirche dargestellt, der Kirche, die die durch die Urschuld gestorbenen Gläubigen aufnimmt und als lebendigen Leib Christi wiedergebiert. Als Bild dieser Gläubigen wird Simeon aus dem jungfräulichen Schoß der großen Kirche von Antiochien, einem der bedeutendsten Bauwerke der frühen Christenheit, in das neue Leben hineingeboren. Zugleich ist er aber auch ein Bote der nachfolgenden Braut, der das noch unberührte Brautgemach betritt, und Jakob von Sarug läßt ihn in seiner Abschiedsrede der Erde zurufen: „In deiner Angelegenheit will ich hineingehen und das Brautgemach schauen und mich an ihm freuen" [223]).

Für die irdische Stadt, in die der Leib des Heiligen gebracht wird, ist er der Schutzwall, der an die Stelle der vom Erdbeben zerstörten Mauer tritt [224]). Eben wegen dieser Schutzlosigkeit hatte Antiochien den Leib des Heiligen von Kaiser Leo erbeten, der ihn in die Reichshauptstadt Byzanz überführen wollte [225]). Zwischen den Jahren 471 und 474 wurde dann allerdings in der Nähe von Konstantinopel bei der Säule Daniels des

Styliten, des unmittelbaren Nachfolgers Simeons, ein Martyrium erbaut und dorthin die Gebeine Simeons überführt [226]). Den Kopf und andere Reliquien des Heiligen sah Evagrius Scholasticus noch um das Jahr 560 in Antiochien: „Von ihm (dem Leib Simeons) wurde vieles bis auf unsere Zeit bewahrt, von dem ich auch den heiligen Kopf zusammen mit vielen Priestern betrachtete, als damals der überall gepriesene Gregorios Bischof (von Antiochien) war, und als Philippikos zum Schutz der östlichen Feldheere verlangte, daß ihm die ehrwürdigen Reliquien der Heiligen zugesandt würden. Das Wunderbare war, daß die Haare, die an seinem Haupt herabhingen, nicht verdorben sind, sondern so geblieben sind, als ob er später noch einmal leben und mit den Menschen zusammenkommen würde. Die Haut seiner Stirne wurde zwar runzlig und ausgetrocknet, doch blieb sie dennoch unversehrt, und die meisten der Zähne, außer denjenigen, die durch die Hand gläubiger Menschen gewaltsam entfernt wurden, verkünden durch ihr prächtiges Aussehen von welcher Art, wie groß und wie alt Simeon, der Mann Gottes, war. Neben ihm liegt der aus Eisen gefertigte Halsring, mit dem er den vielberühmten Körper, nachdem er sich durchgekämpft hatte, den Ehrengaben Gottes übergeben hatte. Das geliebte Eisen verließ nämlich auch den toten Simeon nicht“ [227]).

Das große Simeonsheiligtum Qal^{c}at Sim^{c}an

Nachdem der Leib Simeons um das Jahr 474 in das Martyrion vor der Säule Daniels des Styliten bei Konstantinopel überführt war, gab es drei Verehrungsstätten des Heiligen: die Säule auf dem Bergrücken bei Telneschin, die „Große Kirche" in Antiochien, in der das Haupt Simeons aufbewahrt wurde, und das Martyrion in der Nähe der Reichshauptstadt. Der Mittelpunkt der Verehrung und der Wallfahrten aber blieb die Säule. Um sie wurde die sogenannte „Simeonsfestung", die Qal^{c}at Sim^{c}an [228]), errichtet, ein in seiner Art einzigartiges Bauwerk der frühchristlichen Zeit, das mit einer Ost-West-Länge von ca. 100 Metern und einer Nord-Süd-Breite von etwa 85 Metern in seiner Ausdehnung selbst die Hagia Sophia in Konstantinopel übertrifft. Da in der am 17. April 474 abgeschlossenen syrischen Simeonsvita dieses Heiligtum noch nicht erwähnt wird, muß sein Baubeginn nach dieser Zeit angesetzt werden. Fertiggestellt wurde es etwa um das Jahr 490 [229]).

Den Mittelpunkt des Heiligtums bildet die Säule. Um sie wurde ein großes Oktogon aus acht Bögen und mit einem Durchmesser von beinahe 27 Metern errichtet. Von diesem Zentralbau greifen kreuzförmig vier dreischiffige Basiliken nach den vier Weltgegenden aus, und zwar je eine in die Himmelsrichtung, die ihr von einer der vier Seitenflächen der Säulenbasis und der um sie errichteten rechteckigen Umfriedung [230]) gewiesen wird. Diese Grundform des Kreuzes ist in Syrien besonders für Martyrien bezeugt, das heißt für Kirchen, die im Gegensatz zu den Gemeindegotteshäusern dem Gedächtnis von Märtyrern oder Heiligen geweiht waren. Lassus nimmt daher an, daß der Baumeister des Simeonsheiligtums „zugleich eine Kirche und ein Martyrion errichten wollte. Und, um dies auszuführen, war er genötigt, drei Bauformen zu vereinen, das Oktogon, das Kreuz, die dreischiffige Basilika“ [231]). Auch Tchalenko geht von der Grundform des Martyrion aus: „Zu dieser Zeit umfaßt das kreuzförmige Martyrion drei wesentliche, aneinandergefügte Teile: die Reliquienstätte, die Kirche und die Hallen für die Gläubigen. Jedoch allein Qal^{c}at Sim^{c}an hat die Einheit dieser drei Teile durch eine harmonische und monumentale Komposition verwirklicht, die die vorausgehenden Erfahrungen zusammenfaßt. Eine Verwirklichung, übrigens, ohne Fortsetzung in der syrischen Architektur“ [232]).

Das Simeonsheiligtum ist aber mehr als ein Martyrion, das mit seinem kreuzförmigen Grundriß das Zeugnis des Märtyrers oder des Heiligen, dem es geweiht ist, in die Mitte des Weltgeviertes stellt und so sein weltumspannendes Maß verkündet. Bei der Qal^{c}at Sim^{c}an erhebt sich im Mittelpunkt des Weltgeviertes das Oktogon, von dem aus die vier Basiliken, die vier Königshallen, in die vier Richtungen der Erde ausgreifen, die die Kirche zur Verwandlung in die neue Erde hinführt. Das Oktogon ist aber ein Bild des achten Tages, an dem Christus auferstanden ist, und an dem er wiederkehrt und die Welt endgültig rettet [233]). Es ist somit auch ein Bild des Ortes, an dem sich Christus mit seiner jungfräulichen Braut, der Kirche, vereint. Das Innerste des Weltgeviertes, in das die Kirche während der irdischen Zeit ausgreift, ist also das Brautgemach, in dem am Ende der Tage ihre Hochzeit mit dem himmlischen Bräutigam stattfindet. Im Zentrum dieses Brautgemaches ragt die Säule Simeons auf, als Bild des von der Erde zum Himmel emporgehobenen Menschen, des Menschen nämlich, mit dem die Gottheit Christi bei der Menschwerdung schon eines geworden ist.

Wenn also das Simeonsheiligtum in seinem innersten Bezirk ein Bild des Brautgemaches für Christus und seine Kirche ist, so darf dieses Gemach vor dem achten Tag, an dem die Hochzeit stattfindet, von keiner irdischen Braut betreten werden. Wohl deshalb war es Frauen streng verboten, in das Heiligtum hineinzugehen. Wie die klugen und die törichten Jungfrauen des Evangeliums warten sie vor dem Tor bis der Ruf des Bräutigams ertönt. Hiervon berichtet Evagrius Scholasticus, der um das Jahr 560 den Bergrücken Simeons besuchte. Seine Beschreibung lautet:

„Nun aber will ich etwas, das ich selbst sah, der Erzählung hinzufügen. Ich sehnte mich danach die geweihte Stätte dieses Heiligen zu sehen. Sie ist etwa 300 Stadien von Antiochien entfernt und liegt genau auf der Kuppe des Berges. Mandra (= Schafspferch, Umfriedung) nennen sie die Umwohner, meiner Meinung nach, wegen der asketischen Übungen des allerheiligsten Simeon, die dem Platz den Namen hinterlassen haben [234]). Die Hänge des Berges erstrecken sich auf zwanzig Stadien. Der Gebäudekomplex des Heiligtums ist nach Art eines Kreuzes zusammengesetzt, indem er an den vier Seiten mit Säulenhallen versehen ist. Den Hallen entlang sind aus geglättetem Stein sauber gearbeitete Säulen aufgestellt, die auf äußerst sorgfältige Weise das Dachwerk in die Höhe emporheben. In der Mitte ist ein Hof unter freiem Himmel, der mit höchster Kunstfertigkeit ausgearbeitet ist. Darin steht die vierzig Ellen hohe Säule, auf der jener, der auf Erden ein Engel im Fleische war, sein himmlisches Leben vollendete. Weiterhin sind in der Nähe des Dachwerkes der genannten Säulenhalle schmale Durchbrüche eingelassen – einige nennen sie Fenster –, die sowohl mit dem genannten offenen Hof als auch mit der Säulenhalle korrespondieren. Ferner sah ich in jenem schmalen Durchbruch bei der linken Seite der Säule zusammen mit dem ganzen dort zusammengedrängten Volk, wobei die Bauern um die Säule tanzten, einen übergroßen Stern, der sich schnell über den ganzen Durchbruch verbreitete und leuchtete, nicht einmal, nicht zweimal, nicht dreimal, sondern oft. Dann wiederum verschwand er für eine geraume Zeit, und plötzlich erschien er wieder [235]). Das geschieht nur an den Gedächtnistagen des Heiligen. Es gibt einige, die sagen – und an dem Wunder ist nicht zu zweifeln, sowohl wegen der Glaubwürdigkeit derjenigen, die es berichten, als auch wegen des anderen, das wir gesehen haben –, daß sie sogar seine Gestalt erblickt hätten, wie sie hierher und dorthin geflogen sei, den Bart herabwallen ließ und den Kopf mit dem gewohnten Kopfbund bedeckt gehabt habe. Die Männer, die an diesen Ort kommen, können unbehelligt eintreten und ziehen mit ihren Lasttieren oftmals um die Säule herum. Es wird aber auf äußerst sorgfältige Weise darauf geachtet – worüber ich nichts sagen kann –, daß keine Frau in das Innere des Heiligtum hineingelangt. Sie stehen aber außerhalb um die Türpfosten und betrachten das Wunder, denn die eine der Türen befindet sich gerade gegenüber dem leuchtenden Stern" [236]).

Die Menschheit zeigt sich hier unter dem Bild von Mann und Frau in ihrer zweifachen Gestalt [237]), nämlich einmal als die Völker der Erde, die in Freude und Jubel zum Mysterium des Heiles, der Vereinigung von Gottheit und Menschheit, im Innersten der weltumspannenden Kirche hinziehen und dieses Geheimnis in einer unaufhörlichen Prozession umkreisen, zum anderen als die an der Pforte des himmlischen Brautgemaches auf den Ruf des Bräutigams wartende Braut. Das Oktogon in der Mitte der kreuzförmig ausgreifenden Basiliken nennt Evagrius einen Hof unter freiem Himmel. Demgegenüber versuchte Krencker nachzuweisen, daß das Simeonsheiligtum von einer hölzernen Kuppel überwölbt war, die allerdings bald nach ihrer Errichtung und lange vor dem Besuch des Evagrius eingestürzt sein muß [238]). Obwohl Syrien eine frühe Heimat des Kuppelbaues ist, dürfte aber die Beschreibung von Evagrius auch für den ursprünglichen Bau zutreffen, denn durch seine Öffnung zum Himmel hin wurde das Oktogon als Brautgemach des achten Tages bereits während der irdischen Zeit vom Licht der Sonne, dem Bild Christi, erfüllt. Dies klingt bei Simeon Metaphrastes an:

„Auf der Spitze des Berges, auf dem der göttliche Simeon einen so herrlichen Kampf vollendete, ist ein Heiligtum errichtet worden, das auf jeder Seite von vier Säulenhallen umgeben ist . . . Dazwischen lag eine unbedeckte Halle, die von der reichlichen Sonne überall erstrahlte. In ihr sah man die Säule von vierzig Ellen, auf der er jenes engelgleiche Leben verbrachte. Ferner waren an der obersten Höhe der Säulenhalle Fenster, durch die unteren Teile das Licht des Tages empfingen ..."[239]).

Als weitere Eigenheit des Simeonheiligtums wurde von Butler und seinem Vermessungsingenieur F. A. Norris festgestellt, daß die Ostbasilika, die mit ihren drei Apsiden den Raum für die Liturgie bildete, gegenüber der Ost-West-Hauptachse um etwa sechs Grad stärker der Ostrichtung angenähert war[240]). „Diese Neigung führt zu einer Fülle von technischen Konflikten im Bau"[241]), sie war also geplant. Eine solche Abweichung des Chores von der Hauptachse der Kirche findet sich nicht selten bei frühen Kirchenbauten, und sie wurde in einer wohl bis ins Mittelalter zurückreichenden Tradition auf die Neigung des Hauptes Christi im Tode bezogen[242]), eine Deutung, die auch auf das Simeonsheiligtum übertragen wurde[243]). Trotz des sehr alten Zeugnisses kann es sich hier kaum um die Überlieferung eines ursprünglichen Bausinnes handeln, vielmehr gibt diese Deutung eine spätere, mystische Erklärung wieder, denn die theologische Aussage der Ostung einer Kirche geht grundsätzlich vom Sonnenlauf aus. Ebenso muß auch die Achsenabweichung auf den Sonnenlauf bezogen sein.

Es sollte daher zuallererst versucht werden, die Achsenabweichung der Ostbasilika des Simeonheiligtums aus dem Lauf der Sonne zu erklären. Dies liegt schon deshalb nahe, weil der Schatten der Säule den Gang der Sonne auf die Erde zeichnet. Für eine genaue Untersuchung dieser Frage sind jedoch die bisher veröffentlichten Pläne unzureichend, denn bereits in der Angabe der Nordrichtung differieren Krencker und Tchalenko um beinahe zehn Grad. Dennoch soll hier eine Deutung versucht werden, die vom Schattenwurf der Säule ausgeht. Sie kann allerdings wegen der Ungenauigkeit der Pläne nur hypothetisch sein und muß sich auf eine überschlagsmäßige Berechnung beschränken.

Von der Säule aus gemessen hat die Mittelapsis der Ostbasilika, also der zentrale Altarraum, nach allen Plänen eine Breite von etwa zwölf Grad. Diese Breite durchwandert der Schattenwurf der untergehenden Sonne in Nordsyrien in ungefähr 36 Tagen. Wird nun die Angabe der Nordrichtung von Tchalenko um drei bis vier Grad gegen Ost und die von Krencker um fünf Grad gegen West korrigiert, wodurch bis auf etwa ein Grad Differenz die Nordrichtung von Butler erreicht wird, so ergibt sich, daß der Schatten der Säule bei untergehender Sonne am 26. oder 27. Juli auf die Südecke der Mittelapsis zeigt. Dies ist aber das Datum, an dem Simeon nach der syrischen Vita seinen letzten großen Gedenktag feierte, oder an dem, wie Delehaye annimmt, sein Tod durch seinen Schüler Antonius festgestellt wurde [244]). Von diesem Tag an, dem 26. oder 27. Juli, durchwandert nun der Schatten, den die Säule bei untergehender Sonne nach Osten wirft, bis zum 2. September die ganze Breite der Mittelapsis von zwölf Grad. Er erreicht also am Todestag Simeons, wie er in der syrischen Vita berichtet ist, die Nordecke der Mittelapsis. Als vorläufige Hypothese sei also festgehalten: Die Hauptachse des Heiligtums wurde grundsätzlich nach der Säulenbasis ausgerichtet. Die Begrenzung der Mittelapsis aber, die den eigentlichen Altarraum umschließt, und damit auch die ganze Orientierung der Ostbasilika wird vom Gang des Schattens der Säule bei untergehender Sonne während der letzten fünf Wochen im Leben Simeons bestimmt, also von den dreißig Tagen seiner letzten Reifung und den vier Tagen seines Sterbens. Die im Zentrum des Brautgemaches, des Oktogones, stehende Säule wächst aus einem Sockel empor, der dem Weltgeviert die Grundrichtungen weist, zugleich setzte sie mit ihrem Schattenwurf am Ausgang des Tages von Westen her, von dem Ort, von dem aus Christus am achten Tag zu seiner Vermählung mit der Kirche aufsteigt, das Breitenmaß für den Raum, in dem während der letzten Tage bis zur Erfüllung der Zeit das tägliche Opfer Christi und sein Einswerden mit der Gemeinde gefeiert wird. Anzufügen wäre noch, daß in der fertigen Ostbasilika der Schattenwurf der

Säule bei untergehender Sonne nicht mehr zu sehen war, denn der Schatten zeichnet zwar das Maß auf die Erde, doch geht er wie eine Prophetie ganz in die Verwirklichung des Baues ein. Kein früher Kirchenraum nimmt die Zeichen der Erde unmittelbar in sich auf, sondern verwandelt und erfüllt sie.

Die Styliten nach Simeon

Bis ins 19. Jahrhundert folgten viele Asketen dem Vorbild Simeons und verbrachten einen großen Teil ihres Lebens auf den meist sehr hohen und schmalen Säulen, bei denen über dem Kapitell eine gerade zum Liegen ausreichende Plattform angebracht war. Sie wurden von Schülern über eine Leiter mit den lebensnotwendigsten Dingen versorgt.

Der unmittelbare Nachfolger Simeons war der heilige Daniel Stylites, der ebenfalls aus Syrien stammte, jedoch eine Säule in der Nähe der Reichshauptstadt Konstantinopel errichten ließ. Auf der Rückkehr von einer Versammlung in Antiochien war er mit seinem und mit mehreren anderen Archimandriten im Kloster Telneschin eingekehrt. Die Archimandriten waren gegenüber dem lauttönenden Lob der Mönche für Simeon sehr zurückhaltend und hielten eine solche Lebensweise für Schaustellerei. Ein Besuch auf dem Bergrücken überzeugte sie jedoch von der Heiligkeit dieses Lebens. Simeon ließ die Leiter an die Säule stellen und bat die Archimandriten, zu ihm heraufzusteigen. Diese aber wurden ängstlich und lehnten den Aufstieg wegen verschiedener Gebrechlichkeiten ab. Allein Daniel stieg hinauf und empfing den Segen des Heiligen. Nach dem Tode seines Archimandriten kehrte Daniel noch einmal zwei Wochen zu Simeon zurück, zog dann über Jerusalem in die Nähe von Byzanz und lebte dort als Einsiedler. Als Simeon ihn im Traum aufgefordert hatte, seinen Spuren zu folgen, und als ihm einige Tage später der Tod des Heiligen gemeldet wurde, ließ er an einem geeigneten Platz eine Säule errichten und bestieg sie. Um das Jahr 474 wurde in der Nähe dieses Ortes ein Martyrion für Simeon errichtet und seine Gebeine dorthin überführt [245]).

Die gleiche Berühmtheit wie Simeon Stylites der Ältere erlangte Simeon Stylites der Jüngere, der um das Jahr 521 in Antiochien geboren wurde. Bereits mit sieben Jahren, mit dem Ausfall der kindlichen Zähne, bestieg er seine erste Säule, die neben der von Johannes dem Säulensteher errichtet wurde. Mit zwanzig Jahren zog er sich auf den Mons Admirabilis zurück, den nach ihm benannten „Wunderberg“ zwischen Antiochien und Seleukia, auf dem später um seine Säule ein ähnliches Bauwerk wie die Qal^{c}at Sim^{c}an, das Simeonsheiligtum bei Telneschin, errichtet wurde. Hier stand er zehn Jahre auf einer Felsspitze und wurde dann auf die Säule bei dem neu errichteten Kloster seiner Schüler geleitet. Auf dieser Säule lebte er 45 Jahre bis zu seinem Tode im Jahre 592. Mit 33 Jahren empfing er auf ihr die Priesterweihe und feierte dort das Meßopfer [246]). Aufgrund seiner rund 30 erhaltenen Predigten und einigen Briefen gilt er als „einigermaßen gebildeter Theologe“ [247]).

Während es in den Kirchen des Ostens durch alle Jahrhunderte hindurch bis ins 19. Jahrhundert Säulensteher gab, bald in Aethiopien, bald in Rußland, bald in Georgien und bald in Griechenland [248]), ist aus dem Westen nur ein einziger Versuch bekannt, das Leben auf der Säule zu führen. Wulfilaich, ein langobardischer Diakon, errichtete sich im 6. Jahrhundert in der Nähe von Trier eine Säule und stand auf ihr, bis ihm die Bischöfe befahlen herabzusteigen. Dies berichtet Gregor von Tours:

„Auf der Reise kamen wir zu der Burg Ivois; dort empfing uns der Diakon Wulfilaich, führte uns in ein Kloster und nahm uns sehr liebevoll auf. Dieses Kloster liegt etwa acht Meilen von der genannten Burg entfernt auf der Spitze eines Berges. Auf diesem Berg hat er eine große Basilika erbaut, die er durch Reliquien des heiligen Martin und anderer Heiliger erstrahlen ließ. Als wir nun dort weilten, begannen wir ihn zu bitten, daß er uns einiges über das Gute, das sein Eintritt in den geistlichen Stand bewirkt hat, berichte, oder wie er zum Amt des Geistlichen gelangt sei, da er doch von Geburt ein Langobarde war . . . Als er sich sehr lange widersetzt hatte, war er schließlich von meinen Bitten und Beschwörungen überwältigt und erzählte folgendes: „. . . Ich begab mich dann in das Gebiet der Stadt Trier, und auf dem Berge, auf dem ihr jetzt seid, errichtete ich mit eigener Hand eine Wohnstätte, die ihr seht. Ich fand hier schließlich das Bild der Diana, das das ungläubige Volk hier wie einen Götzen anbetete. Ich errichtete auch eine Säule, auf der ich mit großer Qual ohne jede Fußbekleidung verharrte. Wenn dann in üblicher Weise die Winterszeit kam, wurde ich so von der eisigen Kälte verbrannt, daß die Gewalt der Kälte häufig die Nägel meiner Füße herausriß und in meinem Bart das gefrorene Wasser wie Kerzen herabhing'. Diese Gegend soll nämlich sehr häufig harte Winter durchstehen . . . Und weil der Neider immer denen, die Gott suchen, zu schaden versucht, kamen Bischöfe herbei, die mich eher hätten dazu ermuntern sollen, daß ich mein begonnenes Werk wach zu Ende führen müßte, und sagten zu mir: ‚Dieser Weg ist nicht in Ordnung [249]), den du einschlägst, auch kann man dich Geringen nicht Simeon von Antiochien, der auf der Säule saß, vergleichen. Ferner läßt auch die Lage des Ortes nicht zu, daß du diese Qual durchstehst. Steige also lieber herab und wohne mit den Brüdern, die du um dich versammelt hast'. Weil es als Verbrechen gilt, Priestern nicht zu gehorchen, so sage ich offen, daß ich auf ihre Worte hin herabstieg und mit jenen wandelte und in gleicher Weise Speise nahm. Eines Tages rief mich der Bischof weiter weg an einen Hof und sandte Arbeiter mit Brechstangen, Hämmern und Äxten aus, und sie stürzten die Säule, auf der ich zu stehen pflegte, um. Als ich am folgenden Tag hinkam, fand ich alles in Stücke geschlagen. Ich weinte heftig, konnte aber, was sie zerstört hatten, nicht wieder aufrichten, damit nicht von mir gesagt würde, ich stehe gegen die Befehle der Priester; seitdem bescheide ich mich, mit den Brüdern zu wohnen, so wie ich jetzt wohne" [250]).

Frühe Darstellungen Simeons

Etwa aus der Zeit des ersten Jahrhunderts nach dem Tode Simeons sind einige Darstellungen des Heiligen auf der Säule erhalten, die durch ihre zeichenhafte, architektonisch gebaute Strenge noch ganz von dem der Erde eingeprägten und zum großen Wunder des Erdkreises gewordenen Sinn seiner Lebensverkündigung erfüllt sind und sich so von den mehr ikonenhaften Bildern des Säulenstehers aus späteren Epochen unterscheiden[251]). Gerade in ihrer im ersten Anblick fast hart und ungelenk erscheinenden Linienführung sind sie weniger eine bildhafte Wiedergabe des Heiligen, als vielmehr ein Verweis auf das Unaussprechliche der durch die Erlösung, die Menschwerdung, den Tod und die Auferstehung Christi ermöglichten Vollendung und Verwandlung der Erde im neuen Gottesvolk durch das Leben der Heiligen, auf die vorbildhaft alle Ereignisse des alten Bundes hinweisen und in der sie erfüllt und eigentliche Wirklichkeit werden. Die bedeutendsten der bisher bekannten frühen Darstellungen Simeons sind eine Basaltstelle im Louvre in Paris (Taf. 1)[252]) und ein Basaltrelief, das in den Staatlichen Museen Preußischer Kulturbesitz in Berlin (Taf. 3)[252]) aufbewahrt wird.

Die im ersten Anblick unscheinbare Stele des Louvre auf Taf. 1 enthüllt bei genauer Betrachtung die ganze Lebensverkündigung Simeons. Ihren heilsgeschichtlichen Hintergrund zeigt in einem analogen Bildaufbau die Darstellung der Kreuzigung und der Auferstehung des Herrn auf fol. 13 a des Evangeliars des Rabbula (Taf. 2)[254]). Der untere Streifen dieses Bildes stellt die Auferstehung Christi, das Ereignis des Ostermorgens, dar. Dieses ist der blühende Grund, auf dem sich das Kreuz zum Königsthron der erlösten Menschheit verwandelt, der das Haupt des mit dem Colobium, der ärmellosen Tunika, bekleideten Siegers zwischen den beiden kelchhaft sich öffnenden und sich über den beiden gekreuzigten Schächern auftürmenden Bergen der Weltecken in die göttliche Unendlichkeit hebt, während die ausgespannten Arme die ganze Schöpfung umfassen, in die sein Leib eingetaucht ist. Auch die hohe und schmale Stele Simeons öffnet sich aus den vier Eckzweigen der Welt heraus nach oben in den unbegrenzten Raum der Gottheit. Aus dem Kelchgrund dieser Öffnung ragt die Säule empor, die, obwohl sie vierfach, das heißt auf jeder Seite inmitten von zwei Eckzweigen, dargestellt wird, wohl als der eine Thron zu betrachten ist, der der durch die Erlösung in die Gottheit aufgenommenen Menschheit bereitet ist. Sie trägt ein sechseckiges Kapitell, das Bild des durch die Menschwerdung Christi zu himmlischer Herrlichkeit erhöhten Sechstagewerkes, dessen Krone, der Mensch, am sechsten Tage erschaffen wurde. So ist die Säule, auf der die erlöste Schöpfung und das neue Gottesvolk in Gestalt der Heiligen aus den vier Ecken der Welt zum Himmel emporgehoben wird, die Verwirklichung der alttestamentlichen Vorbilder, der Feuer- und Wolkensäule, die das alte Gottesvolk aus der Knechtschaft in Ägypten herausführte [255]), und der Himmelsleiter, die der Erzvater Jakob bei seiner Vision in Bethel erblickte [256]). Ephraem, der große syrische Dichter, beschreibt diese Säule zwischen Himmel und Erde fast ein Jahrhundert vor Simeon in einem Hymnus auf die Taufe:

„Richtet euer Sinnen und sehet, Brüder,
die Säule vom Äther verhüllt,
deren Fundamente inmitten der Wasser gegründet sind,
bis zum Tor der Himmelshöhe,
wie die Leiter, die Jakob erblickte.
Siehe, auf ihr steigt das Licht zur Taufe herab,
und das Denken steigt zum Himmel empor,
damit sie in der einen Liebe vereinigt werden". [257])

Auf der Vorderseite der Stele ist in den linken Eckzweig der Name des Stifters, Abraamis Azizon, eingemeißelt. Dieser Ort entspricht in den Kreuzesbildern der rechten Seite Christi und somit dem rechten, dem reuigen Schächer, dem Bild des neuen Gottesvolkes. Die blüten- oder kelchhafte Öffnung der vier Eckzweige der Welt in die Raumlosigkeit der göttlichen Unendlichkeit wird von dem höhlenartig geschlossenen Raum der irdischen Zeit, in dem sich der Aufstieg und die Wiedergeburt der erlösten Menschheit vollzieht, getragen. Er ist der Schoß des Weltengebäudes, das hohe und schmale Schiff der Kirche, der jungfräulichen Mutter der Weihnacht und des unberührten Grabes des Ostermorgens, aus dem Christus in seinem mystischen Leibe täglich neu geboren wird und aus dem er täglich aufersteht. Die Kirche aber ist die erste und die älteste aller Schöpfungen, „denn um ihretwillen wurde die Welt erschaffen", sagt bereits der Hirt des Hermas [258]). In seinem Aufstieg auf die Säule wird Simeon selbst zum Bild des aus der Kirche, der Immaculata, geborenen mystischen Leibes, dessen Haupt Christus und dessen Glieder die Heiligen sind. Die als Dreieck gestaltete Kapuze des Säulenstehers weist auf die zur Dreifaltigkeit gehörende Gottheit dieses Hauptes hin. Der kreuzförmig ausgespannte Leib des Heiligen trägt und stützt in seiner begnadeten Schöpferkraft die eigene Mutter, den hohen und schmalen Raum der Kirche. Die Säule aber wächst aus dem stufenförmigen Sockel der Genealogie Christi, der Prozession der Heiligen des alten Bundes, empor, so wie das Kreuz Christi sich nach alter Anschauung über dem Grabe Adams erhebt. An sie ist die Leiter angelehnt, auf der die Jünger und die Besucher zu Simeon emporsteigen, das heißt, um sich dem mystischen Leib Christi, dessen Bild der Heilige ist, anzugliedern. Sie ist die Scala paradisi, die Himmelsleiter, deren Stufen Johannes Climacus beschreibt [259]) und die der Erzvater Jakob bei seiner Vision in Bethel erblickte.

In den Raum der Zeitlichkeit gestellt, ist die Säule aber auch ein Bild der dreistöckigen Arche [260]), die selbst wiederum von den Vätern als ein Vorbild der die Erwählten aufnehmenden Kirche gesehen wurde und in der nur wenige Seelen, nämlich Noe, der achte der Urväter, zusammen mit sieben weiteren [261]) vor der vernichtenden Flut gerettet wurden. Wie die auf Taf. 1 abgebildete Stele, so zeigen sämtliche Darstellungen, die die Säule Simeons dreigliedrig, das heißt von einem zweistufigen Sockel aus aufragend, wiedergeben, am oberen Säulenende ein kleines Fenster, das dem der Arche entspricht. Im dritten, im obersten Stockwerk der Arche, in das das einzige Fenster dieses rettenden Gehäuses eingelassen war, hielten sich nach der Ansicht der Väter die Menschen und die Vögel auf. Gott „ordnete nämlich an, daß die Vögel und die Menschen im dritten Stockwerk seien, damit die einen in die Lüfte fliegen und die anderen in den Himmel aufsteigen könnten", sagt Cosmas Indicopleustes [262]). So ist Simeon auf der Säule die Verwirklichung des vorbildhaften „octavus Noe", Noes, des achten der Urväter [263]), das Bild des auf der zur Säule gewordenen Arche geretteten und von ihr aus zum Himmel aufsteigenden neuen Gottesvolkes, des mystischen Leibes Christi. Wie die Taube Noe den Ölzweig am Ende der vernichtenden Flut zuträgt [264]), so ist im Berliner Basaltrelief (Taf. 3), das die Säule ebenfalls dreigliedrig und mit einem Fenster am oberen Ende des Säulenschaftes nach dem Vorbild der Arche zeigt, ein Vogel wiedergegeben, der nun als Bild der endgültigen liebenden Vereinigung des Göttlichen mit dem Menschlichen, der Vereinigung im Heiligen Geiste, Simeon mit dem Siegeskranz der zum Bilde Christi gewordenen Märtyrer und Heiligen krönt, in dessen Mitte die Flamme eben dieses Geistes der Liebe brennt.

Das Berliner Basaltrelief zeigt aber die Gestalt des Heiligen auf der Säule nicht in den Proportionen des menschlichen Leibes, sondern vom Mönchsgewand, dem Kukullion, wie von einem schützenden Gehäuse umschlossen. Sie ist so zeichenhaft nach der Form einer Kirche gebaut, die in ihrer Erhöhung über die Erde in sich das des Göttlichen innegewordene, im Schweigen verklärte Antlitz als Allerheiligstes birgt. Simeon wird hier zum ruhenden Bild des über die Erde erhöhten und vom Heiligen Geiste gekrönten und versiegelten mystischen Leibes der Kirche, in dessen Spitze das Siegesmal des Kreuzes eingeprägt und dessen Haupt und Antlitz Christus ist. An die Säule ist wiederum die „Himmelsleiter“ angelehnt, die eine in Größe und Aussehen dem Heiligen auf der Säule gleichende, jedoch mit Armen und Beinen dargestellte, das heißt sich in Bewegung befindliche Gestalt trägt. Sie hält in der rechten Hand ein überdimensional großes Gefäß, ja sie wird geradezu von diesem Gefäß in der Schwebe gehalten. In ihrer Bewegung ist diese Gestalt auf der Leiter die ergänzende Aussage zur verklärten Ruhe des Heiligen auf der Säule. Im Aufstieg bringt sie das Irdische zum Himmlischen empor, und im Abstieg trägt sie das Himmlische zum Irdischen herab, denn auf der Himmelsleiter, die der Urvater Jakob bei seiner Vision in Bethel erblickte, und die im Kreuz Wirklichkeit wurde, vollzieht sich der heilige Tausch, das „commercium sacrum“, der im erlösenden Abstieg des Göttlichen den gnadenhaften Aufstieg des Menschlichen bringt, so wie es Ephraem in seinem Hymnus auf die Taufe beschreibt. Das übergroße Gefäß ist im Aufstieg das Räucherbecken, aus dem die Wohlgerüche der Gebete der Heiligen vor den himmlischen Altar emporsteigen [265]). Der Duft dieser Gebete ist es, der die irdische Schwere überwindet und die Heiligen die Himmelsleiter emporschweben läßt, ein Aufstieg, der von Simeon selbst vollzogen wurde, den aber auch die dem Heiligen dienenden Mönche und jeder Besucher, der die an die Säule angelehnte Leiter emporsteigt, bildlich vollzieht. Im Abstieg ist das große Gefäß ein Bild der Fülle der Gnade, die sowohl Simeon selbst, als auch die von der himmlischen Höhe der Säule herabsteigenden Personen der Erde vermitteln. Dieser erlösende Abstieg des Göttlichen und der gnadenhafte Aufstieg des Irdischen vollzieht sich täglich im mystischen Leib der Kirche. So ergänzt die Gestalt auf der Leiter die ekklesiologische Aussage des Heiligen auf der Säule.

Diese Aussage der frühen Stylitendarstellungen wird bis ins späte Mittelalter immer wieder neu in Bildern aufgenommen, deren letzte Ausprägung die Gottesmutter auf der Säule ist, wie sie in Chartres oder Zaragossa verehrt wird. Ein im 13. Jahrhundert vermutlich auf Zypern entstandenes griechisch-lateinisches Psalterium, das heute unter der Inv.-Nr. 78 A 9 im Kupferstichkabinett in Berlin aufbewahrt wird, zeigt auf fol. 47 b als Bildkommentar zum Psalmvers 4,4, „. . . und wisset, zum Wunder machte der Herr seinen Heiligen . . .", ein auf einer dreigliedrigen Säule mit einem Fenster im oberen Säulenschaft erhöhtes Kirchengebäude, das auf seiner Spitze das Zeichen des Kreuzes trägt und über dem der wartende Bräutigam Christus schwebt, der vom Kreis des Kosmos umschlossen liebend auf seinen Heiligen, auf das Bild seiner von ihm als Wunder erschaffenen und auf die rettende Säule gestellten Braut der Kirche, herabblickt (Taf. 4).

Jakob von Sarug und seine Lobrede auf Simeon den Säulensteher

Neben Theodoret und der Lebensbeschreibung des Antonius, neben der syrischen Vita, den frühen Darstellungen Simeons und dem Simeonsheiligtum ist es Jakob von Sarug, der die Lebensverkündigung des ersten Säulenheiligen zu einem eigenständigen Bild gestaltet. Um ganz zu diesem Bild zu gelangen, nimmt er in seiner Lobrede auf Simeon nicht nur alle äußeren Fakten weg, sondern setzt auch seinen eigenen Worten die Schranken der Apophasis, der Verneinung, durch die sie in ihrem geschöpfhaften Mangel nicht für sich selbst stehen und ihre Aussage umfassen und definieren wollen, sondern über ihre Negation auf das unaussprechliche Wunder verweisen, das sich im Lebensgang des Heiligen offenbart: „Wie ein Maler suchte ich ihn zu malen, doch seine Herrlichkeit besiegte mich, und wie ein Jäger suchte ich ihn zu erjagen, doch im Flug entzog er sich mir. Während ich auf die Suche ging, wurde seine Höhe bis zum Himmel reichend, und ich blieb von ihm aus in der Tiefe unten, und er stieg empor“ [266]). Nicht der Glanz der Worte vermag die Größe des Heiligen zu beschreiben, vielmehr ist es ihr Mangel, der ihn immer höher zum Himmel emporhebt. Der Dichter und seine Worte bleiben in der Tiefe. Sie sind die Splitter, die ein Bildhauer abschlägt und auf den Boden fallen läßt, damit das im Stein verborgene Bild hervortreten kann [267]). So wurzelt die Lobrede Jakobs von Sarug ganz in dem wegnehmenden, apophatischen Denken der frühen Christenheit, das etwas später Pseudo-Dionysios Areopagita sprachmäßig umreißt: „. . . Dies nämlich bedeutet, das Eigentliche wahrzunehmen und zu erkennen und das jenseits des Stofflichen sich Befindliche auf überstoffliche Weise durch die Wegnahme alles Seienden im Munde zu führen, so wie diejenigen, die ein selbstgeschaffenes Bildwerk herstellen, alle Hindernisse, die über die reine Schau des Verborgenen gelegt sind, wegschlagen und seine ihm eigene, verborgene Schönheit allein durch die Wegnahme sichtbar machen ...“ [268]).

Auf dem Boden dieses Wissens läßt Jakob von Sarug seine Verse nicht aus der eigenen poetischen Befähigung erklingen, sondern er erkennt sich als das Instrument, das der Geist des Herrn, der allein auch dem Leben Simeons Gestalt gab, zum Tönen und zum Schwingen bringt: „Deine Flöte bin ich, blase in mich deinen Hauch, Sohn Gottes, Klänge will ich geben voll des Wunders über den Herrlichen. Zum Schwingen bringen soll mich deine Kraft, wie der Hauch das Rohr zum Schwingen bringt, und durch ihn die liebliche Musik ertönt mit lautem Klang. Von sich aus hat das Rohr keine Stimme voller Melodien, doch vom Hauch erregt, läßt es seine Klänge zu den Lauschenden schwingen“ [269]). Ähnlich klingen die Worte bereits aus den meist global als „gnostisch“ bezeichneten, sogenannten „Oden Salomos“, einer Sammlung frühchristlicher Hymnen des Ostens: „Wie die Hand durch die Zitter wandert, und die Saiten ertönen, so tönt in meinen Gliedern der Geist des Herrn, und ich ertöne in seiner Liebe“ [270]). Der erlöste Mensch ist das Instrument, das der Geist, den Christus nach seinem Weggang zum Vater über die Erde ausgoß, zum Tönen bringt, und als ein solches Instrument erklingt die ganze frühe christliche Dichtung. Auch jeder einzelne Lebensgang eines Heiligen ist ein solcher Hymnus und damit Bild und Zeugnis der ganzen erlösten Menschheit.

Dies bringt Jakob von Sarug in seiner Lobrede auf Simeon zum Ausdruck, die mehr ist als „nur eine Paraphrase der syrischen Vita“ [271]). In eigenständiger Weise zeichnet er die Lebensverkündigung des Heiligen in drei großen Bildern, die nicht das individuelle Leben Simeons und sein Verhältnis zu Gott beschreiben, sondern in ihm die erlöste Menschheit des neuen Bundes sehen und daher auch sämtliche äußerlichen Fakten seines Lebensganges übergehen. Auf der Höhe der Säule, durch die Erlösungstat Christi über die Erde erhoben und aufgerichtet, besteht die Menschheit des neuen Bundes den dramatischen Kampf mit den Scharen Satans, den „Söhnen der Linken", die die Gläubigen weder mit Trugbildern noch durch Gewalt überwinden können, solange ihre Stimme zum Lobe Christi erklingt. In diesem Kampf ist der Satan sogar dazu verdammt, den Siegeskranz der Gläubigen zu flechten, weil alle seine Schläge nur ihre Schönheit zum Ruhme des Erlösers vermehren, nachdem sein gewaltigster Schlag, der Tod in der Urschuld, sich am Leibe Christi in Leben verwandelt hat: „Vermehre nur die Schläge gleich einem Handwerksmann auf gutes Gold, denn ich, ich werde schön, doch du, du läßt dein Handwerk verkümmern . . . Als du hofftest, du könntest mich ins Wanken bringen, bist du statt mir ermüdet, meinen Kranz, den flechtest du, oh Schande, und du weißt es nicht" [272]).

Das ganze Schicksal der Welt ruht auf der einen Säule des neuen Gottesbundes. Wie die Kirche das Gesetz des unter dem Tod der Urschuld geschlossenen Alten Bundes, so schlägt sich Simeon auf der Höhe der Säule selbst das eine vom Satan verwundete, todkranke Bein ab, die überflüssig gewordene Stütze des alten Gottesvolkes, doch nicht um dieses dem Tod preiszugeben, sondern um in der durch Christus gebrachten Freiheit auch die alte Menschheit durch ein Leben entlang der Todesgrenze in die Rettung zu führen: „Wozu sollst du bedrückt und auch betrübt sein, behütet wird ja deine Hoffnung, denn wieder auf den Baum, der dich von sich abgerissen hat, wirst du aufgepfropft sein . . . Eines werden wir sein, wenn wir auferweckt werden, so wie wir waren, ob für den Tod oder das Leben, ob für das Gericht und das Feuer oder für das Königreich. Ich stehe nicht aus dem Grabe auf und verlasse dich dann, denn mit mir wirst auch du auferweckt und ich mit dir in einem Augenblick" [273]). Der einbeinige Mann auf der Säule hat seinen eigenen Körper zu einem Säulensteher gestaltet, bei dem die ganze Last des Leibes, des alle Gläubigen umfassenden mystischen Leibes Christi, von der einen, anscheinend so schwachen und doch fest gegründeten Säule der Erlösungstat, des Todes und der Auferstehung des Menschensohnes, getragen wird: „Da lebte er als Ganzes, und es starb ein Glied von ihm, und er legte es vor sich hin, und sein einziges Bein trug die Last des ganzen Leibes. Da waren seine Glieder triefend von Schweiß und mit Blut besprengt, gezückt war sein Schwert, gespannt war sein Bogen gegen den Satan"[274]).

Das Ende der irdischen Wanderschaft ist für den Gläubigen der glorreiche Einzug in das himmlische Brautgemach, zu dem hin er während seines ganzen Lebens ohne Ruhepause hinaufgestiegen ist und in das er der Kirche und der Erde voranschreitet, die als Braut weiterhin während der Dauer der irdischen Zeit auf den Ruf des Bräutigams am Ende der Tage wartet und so der Mühsal und der Versuchung ausgesetzt ist. In der Nachfolge Christi und seines Ganges an die Wunden der Welt, durch den er sich im Tode seine Braut erschaffen hat, ist das Leben der Heiligen nicht auf die eigene Rettung gerichtet, sondern die priesterliche Erneuerung dieser Verlobung: „Wenn ich hingegangen bin, so lebt doch der Erlöser, er, den du lieben sollst, denn wie einem Manne, ihm habe ich dich anverlobt, folge deinem Verlobten!"[275]) Während die himmlischen Chöre mit dem Einzug des Gläubigen die triumphale Überwindung des Todes bejubeln, erfaßt die Erde der bittere Schmerz über die unnatürliche, äußerliche Todesverfallenheit alles Geschaffenen, über die tiefste Wunde, die in sie geschlagen wurde. Christus hat zwar diese Todesverfallenheit überwunden, aber nur indem er ihre Schmerzen und ihre Leiden sich selbst und denen, die ihm nachfolgen, aufgebürdet hat. Die Macht des Todes ist gebrochen, doch sein Schmerz bleibt bis zum Ende der Tage bestehen und muß von den Gläubigen fortgelitten und in diesem Leiden verwandelt werden. So weint Christus am Grabe des Lazarus, obwohl er ihn anschließend ins Leben zurückruft und dies seinen Jüngern vorausgesagt hat[276]), und als seine eigene Todesstunde naht, erbebt und erzittert sein Innerstes. In seiner vollkommenen Menschwerdung ist er weit davon entfernt, in die leidlose Posivität des Stoizismus zu entschweben und den Tod in ein natürliches „Ableben" oder ein „Hinüberschlafen" zu verwandeln. Der Kirche, seiner Mutter und Braut, hat er als Vermächtnis seinen toten Leib hinterlassen, als Unterpfand der schmerzhaften Glaubensgewißheit einer Wiedervereinigung der für die irdische Zeit nochmals von der Gottheit getrennten Menschheit, wie dies die Bilder der Pietá und der Kreuzabnahme zeigen. Das letzte große Bild, das Jakob von Sarug von der Lebensverkündigung Simeons zeichnet, ist somit die in den geschichtlichen Gang des Heiles gelegte Spannung zwischen dem Jubel des Himmels und dem Schmerz der Erde, der bis zum Ende der Zeiten fortgelitten werden muß.

Jakob von Sarug, „die Flöte des Heiligen Geistes und die Harfe der rechtgläubigen Kirche"[277]), neben Ephraem der größte Dichter der syrischen Christen, wurde um das Jahr 451 in Kurtam am Euphrat geboren. Die längste Zeit seines Lebens verbrachte er in Haura, das zur Diözese Sarug bez. Serug gehörte und etwa zehn römische Meilen, also ca. 15 Kilometer, von Edessa entfernt war. Hier wurde er erzogen und später zum Periodeuten ernannt. Am Ende seines Lebens wurde er Bischof von Baṭnān, doch hatte er seine Diözese kaum zwei Jahre inne, als er am 29. November 520 oder 521[278]) etwa im siebzigsten Lebensjahr starb. Sehr eng war er mit dem Patriarchen Severos von Antiochien, dem Wortführer der monophysitischen Kirche, befreundet. Deshalb ist es besonders bemerkenswert, daß seine Dichtungen, die in einer Zeit entstanden sind, als Syrien von dogmatischen Kämpfen zerrissen war, keinerlei Polemik und keine Festlegung auf eine theologische Richtung enthalten. Dies aber hat die Forschung immer wieder vom Inhalt seiner Dichtung weg auf die Streitfrage nach der Rechtgläubigkeit des Dichters gelenkt. Die meisten seiner Werke sind bis heute nur mangelhaft oder gar nicht ediert.

Die weitaus überwiegende Zahl der Dichtungen Jakobs von Sarug sind Mēmrē, die sogenannten Lobreden, Verse in gebundener Rede mit zwei Strophen zu je zwölf Silben, die stets gesprochen und nie als Gesang vorgetragen wurden. Diese Gedichtform, die bereits Ephraem kannte, führte Jakob von

Sarug zu ihrer Vollendung, und er soll insgesamt 763 Mēmrē verfaßt haben, davon einige mit bis zu mehreren Tausend Strophen [279]). Daneben sind von ihm eine Reihe anderer Schriften in poetischer und prosaischer Form erhalten. Bereits zu seinen Lebzeiten sollen siebzig Schreiber mit dem Abschreiben seiner Dichtungen beschäftigt gewesen sein [280]).

Die Bewunderung, die Jakob von Sarug von der syrischen Kirche entgegengebracht wurde, zeigen einige Verse aus dem Panegyricus, der vermutlich im 8. Jahrhundert von einem Mönch eines Klosters, in dem Reliquien des Dichters aufbewahrt wurden, für seinen Festtag verfaßt worden sind:

„Dieser ist es, der aus dem gesegneten Quell Edens trank, und darauf die anderen tränkte, wie geschrieben steht.
Dieser ist es, von dessen Lippen lebendige Wasser strömten,
und von diesen schöpft die Kirche des Sohnes zu allen Zeiten.
Dieser ist es, aus dessen Leibesinneren überquellende Ströme hervorsprudelten,
die die Herde des Sohnes erfreuen, für die er gestorben ist.
Dieser ist es, dessen Leib und dessen Organe voll der Gabe sind,
die von unserem Erlöser seiner Zwölferschar gegeben wurde“ [281]).

Diese Verse beziehen Joh. 7,37–39 auf Jakob von Sarug: „Am letzten und großen Tag des Festes stand Jesus da und rief: ‚Wer dürstet, der komme zu mir und trinke. Wer an mich glaubt, aus dessen Leib werden, wie die Schrift sagt, Ströme lebendigen Wassers fließen‘. Dieses sagte er von dem Geist, den diejenigen empfangen sollten, die an ihn glauben“ [282]). Nach Ambrosius strömte nach dem Tod des Herrn ein Fluß in Gestalt von Blut und Wasser aus seinem Leib, der alle Seelen erfreut, weil er die Sünden der Welt tilgte. Dies aber ist auch der Fluß, der vom Garten Eden ausgeht, die ganze Welt umfließt und als Wort Gottes den fruchtbaren Seelengrund (paradisus intelligibilis) bewässert, aus dem dann die vier Ströme der

Weisheit, der Stärke, der Mäßigung und der Gerechtigkeit hervorsprudeln [283]).

Die Lobrede Jakobs von Sarug auf Simeon den Säulensteher wurde erstmals von St. Ev. Assemanus zusammen mit einer lateinischen Paraphrase herausgegeben [284]). Diesen Text hat Paul Bedjan an vielen Stellen mit Lesarten der vatikanischen Handschrift cod. Syr. 117 versehen und erneut ediert [285]). Da beide Editionen die Mehrzahl der Handschriften nicht berücksichtigen [286]), wurde für die vorliegende Übersetzung die Fassung von Bedjan zugrundegelegt, die auch bei Brockelmann [287]) abgedruckt ist, und auf die Angabe von Varianten verzichtet. Eine vollständige deutsche Übersetzung der Lobrede auf Simeon Stylites, die allerdings an vielen Stellen paraphrasiert, wurde 1913 von P. S. Landersdorfer besorgt [288]). Die aus zwei Strophen mit je zwölf Silben bestehenden Verse wurden zur Erleichterung der Stellenangabe in der vorliegenden Übersetzung durchnummeriert.

Rede des Mar Jakob, des Lehrers, über den heiligen Mar Simeon den Säulensteher

1 Gib mir, Herr, daß ich ein Bild gestalte,
voll der Herrlichkeiten,
für Simeon, den Erwählten, denn zu erhaben
sind seine Herrlichkeiten für die Zunge.

2 Reden will ich durch Dich über seine Siegeswunder,
und ich bin im Staunen,
denn außer durch Dich kann die Herrlichkeit
Deines Dieners nicht ausgesprochen werden.

3 Seinetwegen sprich durch mich,
Herr, überreichlich,
um über ihn auszusprechen,
daß der Wettkämpfer bedeckt mit Siegeswundern ist.

4 Deine Flöte bin ich,
blase in mich Deinen Hauch, Sohn Gottes,
Klänge will ich geben voll des Wunders
über den Herrlichen.

5 Zum Schwingen bringen soll mich Deine Kraft,
wie der Hauch das Rohr zum Schwingen bringt,
und durch ihn die liebliche Musik ertönt
mit lautem Klang.

6 Von sich aus hat das Rohr
keine Stimme voller Melodien,
doch vom Hauch erregt,
läßt es seine Klänge zu den Lauschenden schwingen.

7 Auch der Redner
hat kein Wort zum Sprechen,
und wenn Dein Wort ihn nicht zum Schwingen bringt,
dann spricht er nicht.

8 Durch Dich, Herr, wird der Mund erregt,
so daß er neue Klänge hervorbringt,
die voll sind des Wunders
und den Lobpreis singen ohne Stocken.

9 Kommt, Lauschende,
saugt die Süße aus der Lehre,
denn die Frucht ist süß,
die die Seele erhellt durch ihren Geschmack.

10 Kommt, freut euch
an dem Bericht über den einen Herrlichen,
denn seine Geschichte übersteigt
die Fluten des großen Meeres.

11 Kommt, horcht und lauscht
auf seine göttlichen Siegeswunder,
denn erhabener sind sie,
als daß die Zunge sie aussprechen könnte.

12 Kommt, tretet ein und ruht
am Tisch, der voll ist von den guten Dingen,
denn die Rede ist bereitet
wie ein Gastmahl, um euch zu erfreuen.

13 Kommt zum Gelage,
von dessen Mahlzeit es keine Reste gibt,
auch keine Beschwernis wird die Seele haben,
die sich an seinen Gerichten erfreut.

14 Kommt, nehmt umsonst
den großen Reichtum ohne Gewicht [1])
aus dem Schatzhaus,
das durch Entgegennehmende nicht verarmt.

15 Kommt, Scharfsinnige,
und schenkt mir Gehör in großer Stille,
und ich will das Wort des Lebens geben
mit lauter Stimme.

16 Der Bericht über Simeon
wird zum Anlaß für jeglichen Gewinn,
wie für mich so für euch,
der Gewinn nämlich gehört dem, der ihn hört.

17 Gut ist ein Arbeiter,
der glücklich beginnt und endet,
und der nicht Überdruß hat
am göttlichen Dienst.

18 Es rief der Satan seine Heere
und er bot sie auf,
und er öffnete seinen Mund wie ein Heerführer,
und er gab ihnen Befehle.

19 Es sprach der Böse zu seinen Heerscharen:
„Seht, es ist Zeit,
stehen wir auf zum Kampfe und lassen wir nicht nach,
damit wir nicht unterliegen.

20 Zieht euch Wirrgebilde über
und stellt Scheingestalten dar,
auch in Trugvisionen
seid sein Widerpart.

21 Entfacht Stürme der Gewalt,
im Aussehen wie Berge,
und Staub soll aufsteigen,
und die Farbe der Luft werde durch ihn verdeckt.

22 Heftige Winde sollen wehen
und beben soll die Erde,
und wie das Tosen des Meeres
soll ein Tosen entstehen durch ein mächtiges Beben.

23 In häßliches Gewürm verwandelt euch
gegen ihn und in Schlangen,
werdet Vögel und Tiere, die auf der Erde kriechen
und sich an Wände klammern.

24 Seht, es ist Zeit,
stacheln wir uns gegenseitig auf zum Gefecht,
laßt uns den Kampf entfachen und nicht schlaff werden,
damit wir nicht unterliegen.

25 Leicht ist es jetzt für uns,
wo wir mit ihm auf der Säule kämpfen,
und wir ihn durch Visionen von Mächten zum Zittern
bringen, so daß er durch sie in die Irre geht."

26 Darauf versammelte sich
die Schar der Dämonen, die Söhne der Linken,
sie verfaßten eine Abmachung,
gaben sich die Hand und erhoben sich zum Kampfe.

27 In einzelne Haufen
wurden die Banden von Teufeln verteilt,
damit sie das Junge des Adlers
in ihren Hinterhalten erjagen.

28 Drachen krochen aus ihren Höhlen,
um ihn anzufauchen,
ihn, die Taube,
die ihr Nest oben auf dem Felsen baute.

29 Schlangen spieen ein greuliches Gift,
um ihn zu töten,
ihn, das Rebhuhn [2]),
das lieblichen Klang vom Berggipfel her ertönen läßt.

30 Habichtsscharen versammelten sich
gegen den Singvogel, um ihn zu erjagen,
doch er flog in die Luft und entkam ihnen,
und sie waren verdutzt.

31 Es kamen zum Berg
Herden von Dämonen und Scharen von Teufeln,
und wie Rauch ballten sie sich um seine Seiten
und verhüllten die Luft.

32 Verdeckt war das Licht der Sonne,
von Nebelschwaden,
und es ward dunkle Nacht
und Finsternis gräßlich und dicht.

33 Sie entfachten Stürme,
Staub stieg auf und verdeckte die Berge,
Winde bliesen
und stürzten die Felsen und türmten die Wolken.

34 Feuer entbrannte,
und wie in einem Ofen stieg seine Flamme empor,
Und es sah aus,
als ob es auch auf die Felsen übergegriffen hätte.

35 Die Stürme kamen heran, sie schlugen gegen die Säule
und ihre Fundamente bebten,
doch der Gerechte stand wie auf einem Felsen,
der nicht erschüttert werden kann.

36 Starke Winde stürzten auf seine Wirbel,
und er erzitterte,
und es schwankte die Säule, und, siehe,
sie war am fallen, doch Psalmen sang der Gerechte.

37 Dem Getöse nach wurden Berge gespalten,
doch nicht in Wirklichkeit [3]),
und er, der Getreue, verließ das Seine nicht
und blickte hin zu ihnen.

38 Sie machten sich dem häßlichen Gewürm
und den Schlangen gleich,
doch er zog seine Hände nicht zurück,
die zur Höhe ausgestreckt waren.

39 Er sang gegen sie,
was er von Jesse's Sohn [4]) gelernt hatte,
und mit der Harfe David's jubelte er,
als er sprach:

40 „Wie Wespen, siehe,
so umgeben mich die Scharen des Verfluchten
doch sie erlöschen plötzlich
wie das Feuer schlechter Späne [5]).

41 Sie umringten mich von allen Seiten
wie Rauch,
doch im Namen des Herrn vernichtete ich sie,
und sie verschwanden und vergingen.

42 Gestoßen wurde ich, damit ich stürze,
falle und zugrunde gehe, doch der Herr half mir,
und ich beschämte sie und siegte über sie
durch die Kraft Gottes."

43 Es sah der Satan, daß die Standhaftigkeit siegte
und seine Listen überwand,
doch nochmals mühte er sich,
damit er durch Wunden mit ihm kämpfe.

44 Er stieg hinauf und stand bei ihm auf der Säule,
listenreich für das Verderben,
doch es sah ihn der Gerechte und sogleich wußte er:
er ist der Feind.

45 Er sah ihn, denn aufreizend und dampfend
war seine Gestalt, und er begriff,
daß der Herr des Judas zum Knechte Jesu gekommen ist,
um abzutasten.

46 Er sprach zu ihm
wie auch unser Herr zu Iskarioth:
„Zu was bist du gekommen,
warum stehst du da so lange Zeit [6])?

47 Nicht fliehe ich vor dem Wettstreit,
denn ich bin zu ihm bereit,
Warum stehst du da? Tritt heran wie Judas!
Führe aus, was in deinem Herzen ist."

48 Er stand bei ihm
wie Judas bei unserem Erlöser,
und es standen die Dämonen
wie die Kreuzesknechte und warteten auf ihn.

49 Bildlich glich der Böse
auch dem Goliath,
die Teufel um ihn den Philistern
und der Gerechte dem David.

50 Es stand die Schar des Kaiphashofes
und blickte hin um zu sehen,
ob wohl sein eigener Diener Jesus verrät
wie einst Judas.

51 Es stand Goliath und zog sein Schwert
und David seine Schleuder,
und die Schlachtreihen standen und schauten
den Kampf, denn: wer wird wohl siegen?

52 Der Verderber näherte sich
und streckte seine Hand gegen den Getreuen aus,
und wie ein Ringer im Kampfe ergriff er ihn
und begann ihn zu werfen.

53 Der Begnadete entglitt aus seinen Händen,
wandte sich um und faßte ihn,
und er ergriff ihn mit seiner Hand,
warf ihn zu Boden und trat auf seinen Hals.

54 Und als er sich windet,
biß er in seinen Fuß und fletschte die Zähne,
doch wie einen Hund stieß er ihn
und warf ihn von der Säule.

55 Er fiel wie ein Blitz und jammerte laut,
und der Gerechte hörte
den Laut vom Niederfall jenes Satans,
und er zerstäubte wie Spreu.

56 Wie Goliath fiel der Herr des Goliath,
und Gelächter ertönte,
doch wie David stand da
der Davidgleiche, um Psalmen zu singen:

57 „Gesegnet sei der Herr,
denn er hat mich mit Kraft umgürtet gegen den Bösen
und meine Fersen fest gefügt wie auf Fels
und sicher gegründet meine Schritte.

58 Hoch in die Höhe hat er meine Füße gestellt,
auf die Säule,
und er lehrte meinen Händen auch
den Kampf des Feindes [7]).

59 Neuen Lobpreis gab er meinen Lippen
auszusprechen
wie dem Sohne Jesses, der Goliath besiegte
durch die Kraft Gottes.

60 Wenn gegen mich das Heer der Teufel lagert,
so fürchte ich mich nicht,
denn eine Schar von Engelswächtern [8]) steht bei mir
und macht mich stark."

61 Als nun der Böse die Schande erlitten hatte
und beschämt war durch die Wahrheit,
ließ er nicht ab von ihm,
denn allezeit lag er mit ihm im Streit.

62 Er sah, daß er nicht abließ
vom Lobpreis der Heilsverkündigung,
denn er verkündete:
„Bekehret euch vom Irrtum zu Gott!"

63 Er sah, daß der müde Stier
von seinem Dienst nicht ruhte,
und lähmte ihn, damit er von seinem Acker ablasse,
der unvollendet bliebe.

64 Es bildete sein Bein
ein häßliches Geschwür,
und das harte Leiden schritt fort
und floß in seinen ganzen Leib.

65 Wehenschmerzen schlugen mit Todesmächten
auf ihn ein, doch er ertrug sie,
er murrte nämlich nicht,
noch wurde er an seinem Dienst gehindert.

66 Wie Hiob wurde er vom Satan verwundet,
der Hiob geschlagen hatte,
und er ward ein Gefährte des Hiob,
der den Feind besiegte.

67 Zwei Ringer
in zwei Zeiten und zwei Streiten [9])
besiegten im Wettkampf den Bösen,
der über alle Zeiten gesiegt hatte.

68 Der eine auf Staub, der andere auf Stein,
so stritten sie mit ihm,
und sie überwältigten ihn
und durch Staubgeborene ward ihm Schande.

69 Die Säule war gleichsam der Misthaufen
für den zweiten Hiob,
doch anstatt Staub von weicher Natur
harter Stein.

70 Verwundet wurde der Begnadete
durch das häßliche Leiden eines gefährlichen Pfeiles,
doch je mehr ihn der Böse bedrängte,
desto mehr nahm seine Schönheit zu.

71 Gutes Gold ging in den Ofen
und zeigte seine Schönheit [10]),
und es erfreute seinen Herrn
und die häßlichen Schlacken fielen von ihm ab.

72 Und als die Qual stark und mächtig wurde
über den Begnadeten,
sein Fleisch abfiel
und sein Fuß bloß dastand,

73 da erhob er seine Stimme,
und die Engelswächter staunten über seinen Mut,
als er auf seiner Säule Psalmen sang
mit der Harfe Davids:

74 „Mein Fuß stellte sich auf das Richtige [11])
und wankt nun nicht,
denn der Herr stützte ihn, so daß er aufrecht steht
und das Gewicht von zweien trägt.

75 Siehe, er trägt die Burg des Leibes
wie eine Säule,
denn der Baumeister festigte ihn und stützte ihn,
so daß er nicht erschüttert wird.

76 Kein Schmerz bereitet mir dein Wüten, Böser,
denn angenehm ist es für mich,
da du selbst erschöpft bist,
weil ich von meinem Dienst nicht ablasse.

77 Vermehre nur die Schläge
gleich einem Handwerksmann auf gutes Gold,
denn ich, ich werde schön,
doch du, du läßt dein Handwerk verkümmern.

78 Schlage nicht auf den Fuß allein,
wenn du kannst,
den ganzen Körper peitsche und züchtige,
du wirst dich nicht rühmen können.

79 Ein Pferd ist er,
und ohne Zaumzeug kann er nicht gebändigt werden,
greif zu und wie die wilden Burschen,
so züchtige den Widerspenstigen.

80 Hoffe aber nicht,
daß ich durch deine Schläge gehindert werde,
denn ich lasse nicht vom Dienste ab,
der mir übertragen ist.

81 Die Mauern eines Hauses, das auf Fels gestellt ist,
geraten nicht ins Wanken,
Wogen und Winde können es nicht erschüttern,
denn es steht fest.

82 Als du hofftest, du könntest mich ins Wanken bringen,
bist du statt mir ermüdet,
meinen Kranz, den flechtest du, oh Schande,
und du weißt es nicht.

83 Dies am Fuß ist nichts
 von deinen Drohungen,
hart schlage zu wie bei Hiob,
 ich bin sein Gefährte.

84 Kraftlos ist dein Schlag, schwächlich dein Streit
 und schlaff dein Kampf,
und nicht hart, wie man sagt, ist dein Ringen,
 sondern schlaff und schwach.

85 Feige ist der,
 der von deinem Fechten überwältigt wird,
denn du kannst nicht siegen,
 auch nicht über den Schwachen, wenn er will.

86 Nichts ist ein Schlag von dir
 für den, der ihn kennt,
und der, der dir seine Waffe nicht gibt,
 wird nicht überwunden.

87 Die Feigen hast du besiegt, nicht die Tapferen,
 rühme dich nicht,
an dem, der krank ist, erprobst du deine Kraft,
 nicht an Gesunden.

88 Schlage, wenn du schlägst,
 zerreiße das Fleisch und sprenge die Fessel,
und wenn ich sage „wehe“ oder „genug“,
 bin ich von mir selbst überwältigt.

89 Jeder schwächliche und schlaffe Ringer
 greift nach den Füßen,
und was du getan,
 ist nicht das Werk Gesunder, sondern von Feigen.

90 Siehe, du ringst
mit einem einbeinigen Mann,
und wenn dich der lahme Mann besiegt,
wirst du mit Gespött gewürdigt."

91 Als nämlich der Gerechte
von Schmerzen und Leiden gepeitscht war,
da ließ sein Mund durchaus nicht ab
vom Lobpreis.

92 Müde wurde der Satan, doch der Gerechte
wurde weder müde noch ruhte er oder ließ nach,
denn sooft er kam,
wurde seine Kraft stärker und sein Lohn größer.

93 Er sah sein Bein,
wie es verfaulte und sein Fleisch abfiel,
entblößt stand es da,
wie ein Baum mit abgeschlagenen Zweigen.

94 Er sah, daß an ihm nichts war,
außer Sehnen und Knochen allein,
da nahm er seine Last und verteilte sie so,
daß sie auf dem anderen lag.

95 Er sah, daß das müde Rind
das Joch nicht tragen konnte,
da suchte er es freizugeben von seinem Dienst
und mit einem einzigen zu arbeiten.

96 Eine wundervolle Tat vollbrachte der Begnadete,
die niemals sich ereignet hatte,
denn sein Bein schlug er ab,
damit er in seinem Dienst nicht gehindert werde.

97 Wer weint nicht,
wenn ein gelenkiges Glied von ihm abgerissen ist,
doch wie ein fremdes blickte er es an
und war nicht betrübt.

98 Da war der Satan mit Blut besudelt,
und ausgeflossen war das Faulwasser,
soviel Geburtsmembranen fassen, und übergossen
waren die Steine, und Psalmen sang der Gerechte.

99 Da war abgeschnitten
ein Zweig des Leibes von seinem Baum,
doch sein Antlitz war übergossen
von begehrenswertem Tau und zierendem Glanz.

100 Da sprach er zu ihm:
„Gehe hin im Frieden bis zur Auferstehung
und sei nicht betrübt, denn behütet ist deine Hoffnung
auf das Haus der Königsherrschaft."

101 Da lebte er als Ganzes, und es starb ein Glied von ihm,
und er legte es vor sich hin,
und sein einziges Bein
trug die Last des ganzen Leibes.

102 Da waren seine Glieder triefend von Schweiß
und mit Blut besprengt,
gezückt war sein Schwert, gespannt war sein Bogen
gegen den Satan.

103 Da lag vor ihm sein Leichnam,
und er sang ihm Psalmen,
und mit der Harfe Davids redete er
und tröstete ihn:

104 „Wozu sollst du bedrückt und auch betrübt sein [12]),
behütet wird ja deine Hoffnung,
denn wieder auf dem Baum, der dich
von sich abgerissen hat, wirst du aufgepfropft sein.

105 Gehe, warte bis ich komme
und sei nicht betrübt,
denn ohne dich
werde ich am jüngsten Tag nicht auferstehen.

106 Entweder ins Brautgemach oder in die Hölle
geht mein Lauf für dich,
entweder in den Himmel oder in den Abgrund,
unser Weg ist einer.

107 Eines werden wir sein, wenn wir auferweckt werden,
so wie wir waren,
ob für den Tod oder das Leben, ob für das Gericht
und das Feuer oder für das Königreich.

108 Ich stehe nicht aus dem Grabe auf
und verlasse dich dann,
denn mit mir wirst auch du auferweckt
und ich mit dir in einem Augenblick.

109 Er tut dir kein Unrecht,
Er, dem du seit deiner Jugend gedient hast,
denn für deine Mühe wird Er deinen Lohn geben,
und dich erfreuen.

110 Bete, daß ich dich erblicke und mich mit dir freue,
wenn wir auferstehen,
und wir Den zusammen preisen, Der uns die Kraft gab,
daß wir vor ihm stehen können."

111 Er wandte sich von neuem zum Gebet
und unter Seufzern flehte er und weinte:
„Herr, gib Kraft dem Bein,
das sich von seinem Gefährten trennen mußte.

112 Belebe das eine und stärke das eine,
bis es Ruhe findet,
denn, siehe, die Last von beiden ist ihm aufgebürdet,
und gering ist seine Kraft.

113 Schau, die Last des ganzen Leibes
liegt schwer auf ihm allein,
und wenn deine Weisung nicht zu ihm gelangen wird,
dann wird es schwach.

114 Gering ist seine Kraft,
hart sein Dienst und böse seine Gegner,
und wenn deine Gnade ihm nicht hilft,
kommt es zu Fall.

115 Allein ist es,
und zu schwer ist ihm die Last des Leibes,
stütze das Müde, denn die Last von zweien
ist auf seinen Nacken gelegt.

116 Der Tempel des Leibes wird nicht wanken,
weil Du in ihm wohnst,
doch weil eine Säule allein ihn trägt,
so festige ihren Sockel.

117 Siehe, mit einem einzigen Rind arbeite ich,
anstatt mit einem Gespann,
verleihe ihm die Kraft,
daß es mit mir eifrig arbeite.

118 Nicht möge ich zur Schande werden vor dem Bösen,
Herr, den es dürstet, mich zu vernichten,
und der gerne meine Füße sehen möchte,
die von Deinem Dienste ablassen.

119 Er soll sich nicht rühmen, daß er Deinen Knecht besiegt
und seine Waffe weggenommen hat.
Gib mir den Schild, damit ich seinen Pfeilen
entgegengehe und seine Macht besiege.

120 Schaff Recht mir, Herr, gegen den Satan [13]),
der mit mir streitet,
ergreife die Waffe
und stehe auf zum Kampfe gegen den Bösen.

121 Verfinstern möge sich sein Weg,
der voll Finsternis und schlüpfriger Stellen ist,
Netze und Schlingen hat er auf ihm verborgen,
die mich fangen sollen.

122 Meine Seele aber möge gedeihen
wie ein durch die Zweige prächtiger Baum,
denn sie erntet und schickt die herrlichen Früchte
dem Landmann des Ackers.

123 Mit der Macht von Dir
werde ich die Macht des Feindes besiegen,
denn es gibt keine Macht, die der Macht gleich ist,
mit der ich gestärkt werde.“

124 In dieser Mühe verharrte der Begnadete
eine lange Zeit,
indem er auf einem Bein dastand
und nicht aufgab.

125 Ein Wunder für das Reden, denn wann gibt es
einen Anlaß gleich dem des Säulenstehers?
Es stand das Bein dieses Begnadeten
und geriet nicht ins Wanken.

126 Wer von den Weisen
wird wohl ein Werk wie dieses schmähen,
außer jenem, dessen Herz blinder ist
als die Einsicht.

127 Nicht vermag es der Mensch,
daß eine einzige Zeitspanne von den Stunden abläßt,
und der Erwählte stand Tag und Nacht
auf seinem einzigen Bein.

128 Dreißig Jahre und zehn [14])
ertrug er wie einen einzigen Tag,
Hitze und Kälte und Wachen und Fasten
und die Anfechtung des Bösen.

129 Von mir ist niemals jemand gesehen worden,
der dastand wie jener Gerechte,
und in den Schriften sah ich keine Erzählung,
die seiner gleicht.

130 Es fasteten die Rechtschaffenen zu allen Zeiten
bestimmte Tage,
an Wochen dreißig und sechzig,
jeder nach seiner Kraft.

131 Wer könnte es zählen,
das Fasten dieses Engelsboten aus Fleisch,
der Menschenkindern nicht verglichen werden kann,
sondern Engelswächtern?

132 Vierzig Tage fastete
der göttliche Moses [15]),
und auch Elias fastete
in der Zahl wie Moses [16]).

133 Von diesen beiden wurde der eine leuchtend [17]),
der andere fuhr auf [18]),
und wer sagt wohl,
daß dies jenen Gerechten nicht würdig sei?

134 Was aber soll ich sagen
über das Fasten dieses Fasters?
Sein Bild vermag ich nicht zu gestalten,
denn seine Schönheit hat mich besiegt.

135 Welche seiner Wundertaten soll ich schildern
und welche soll ich übergehen,
denn jede einzelne ist größer und erhabener
als die andere.

136 Schildere ich sein Fasten, siehe,
da überwältigt mich eine andere Schönheit von ihm,
verkündige ich sein Wachen,
so bin ich viel zu knapp bei seinem Liebesdienst.

137 Schildere ich sein Stehen,
siehe, so ist sein Lebensgang nicht überdacht!
Soll ich mich über seine Schmerzen
oder Qualen wundern, wie staunenswert sie sind?

138 Soll ich seine Leiden aufzählen? Ebenso stark
waren seine Kämpfe, die er ausgefochten hat,
denn, siehe, mit dem Bösen stritt er
um seine Seele alle Tage.

139 Soll ich reden, wie sein Bein dastand,
und er nicht nachließ,
oder über seinen Mund, wie lange Zeit
er sich um die Frohbotschaft bemühte?

140 Soll ich reden, wie aus seinen Augensternen [19])
Tränen des Schmerzes flossen,
oder über seine Hände,
wie er es ertrug, daß sie ausgestreckt waren [20])?

141 Soll ich seinen Kampf mit dem Satan schildern?
Ich vermag es nicht,
denn kurz ist die Zeit und staunenswert das Gefecht
und groß der Streit.

142 Der Glänzende hat mich besiegt,
und ich bin ihm, der so herrlich ist, unterlegen,
und ich vermag es nicht
von seinen Herrlichkeiten, so wie sie sind, zu reden.

143 Wie ein Maler suchte ich ihn zu malen,
doch seine Herrlichkeit besiegte mich,
und wie ein Jäger suchte ich ihn zu erjagen [21]),
doch im Flug entzog er sich mir.

144 Während ich auf die Suche ging,
wurde seine Höhe bis zum Himmel reichend,
und ich blieb von ihm aus in der Tiefe unten,
und er stieg empor.

145 Wenden wir uns deshalb der Säule zu,
denn, siehe, dort ist er,
er hat sie nämlich nicht verlassen,
nachdem im Himmel seine Wohnstatt ist.

146 Ich will jetzt über sein Hinscheiden sprechen,
wenn ich es vermag,
und über die Vollendung, die ihm sein Herr gab,
wenn ich es kann.

147 Enthüllen will ich seinen Söhnen,
wie er seinen Lauf vollendete und entschlief,
und auch wie der müde Stier
von seinem Werke ausruhte.

148 Zu jener Zeit, als sein Ende nahte
und seine Seligkeit herankam,
enthüllte ihm sein Herr den Tag seines Hinscheidens
gleich dem Moses.

149 Aufgeklärt wurde er wie der Sohn des Amram [22])
über sein Hinscheiden,
damit er wie Ezechias seinen Söhnen
Anweisung gebe über seine Erbschaft [23]).

150 Es stiegen die Engelsboten herab
und sprachen mit ihm wie mit Daniel, [24])
und sie zeigten ihm an: nahe sei herangekommen,
daß er von seinem Dienst ausruhen könne:

151 „Siehe, der Abend kam heran und nahe ist,
daß dein Werk zur Ruhe kommt
und auch der Zins, den der Denar getragen [25])
und der dich erwartet.

152 Siehe, es kam die Zeit heran,
die dein Werk von der Qual befreit,
und deine Seele sich niederläßt
in der Scheune des Lebens bis zur Auferstehung.

153 Siehe, es kam der Tag heran, an dem du eintrittst
und befreit bist von deinem Dienst
und zur Vergeltung schreitest
und dastehst als ein Glücklicher.

154 Es wurde die Zeit,
zu der du ausziehst und weggehst vom Erdkreis,
hin zu dem Ort des Lichtes,
der, siehe, seit Ewigkeit für dich bereitet ist.

155 Steh auf, Landmann, streife ab dein Joch
und ruhe aus, denn du hast dich abgemüht,
denn mit einem Rind
hast du deinen Acker mit Eifer bearbeitet.

156 Steh auf, Schiffer,
zieh weg vom Meer und seinen Stürmen,
nimm deinen Beutel mit deinem Lohn in Besitz
und laß dich im Fruchtland nieder.

157 Nicht soll dich betrüben,
daß dein Leib ein Nest für die Leiden war,
denn mit Lazarus läßt du dich nieder
dort bei Abraham [26]).

158 Nicht soll dich betrüben,
daß dein Leib vor Bedrängnis stank,
denn wohlriechend wie Spezereien ist nun sein Duft,
und du wirst bei ihm bleiben.

159 Rufe deine Jünger
und festige sie durch deine Weisungen,
und sie werden nach deinem Tode wachsam sein,
wie zu deinen Lebzeiten.

160 Sprich zur Schöpfung:
ich habe für dich bei Gott gebürgt,
du sollst dich nicht wieder dem Satan zuwenden,
mein Vorstoß wäre sonst beschämend."

161 Nachdem dies alles zum Begnadeten
gesprochen war,
umgab ein Heer von Engelswächtern
den Berg von allen Seiten.

162 Es stiegen die Engelsboten [27]) herab,
um den Staubgeborenen zu preisen,
und sie nahmen ihn auf ihre Flügel,
als er emporstieg.

163 Es stiegen die Scharen vom Hause Gabriels herab,
um feierlich emporzuheben
den keuschen Leib,
der für den Gottessohn eine Wohnstatt war.

164 Er rief seine Jünger als er im Scheiden war
und ermahnte sie,
so wie unser Erlöser seine Zwölferschar,
bevor er auffuhr:

165 „Den Frieden Jesu hinterlasse ich euch,
oh meine Jünger,
den, den er uns hinterlassen hat
als er auffuhr zu dem, der ihn gesandt hat.

166 Bleibt im Frieden und bewahrt die Weisungen,
die ihr von mir gelernt habt,
vergeßt mich und meine Ermahnungen nicht
nach meinem Hinscheiden.

167 Bleibt im Frieden, Gemeinde und Priester,
damit an jenem Ort
das Kreuz des Herrn
das Mauerwerk in euren Wohnstätten sei.

168 Bleibt in Frieden, Kranke,
die auf den Namen Jesu gekommen sind,
und wie bei einer Schmerzbedrängten
wird es die Linderung für eure Qualen geben.

169 Bleibe im Frieden, Reittier,
das mich eine überlange Zeit getragen hat,
von jetzt ab und fernerhin
wird dir das Zeichen Jesu aufgelegt.

170 Bleibe im Frieden, Erde,
die angefüllt ist mit allen Bedrängnissen,
begnadet ist der,
der dich unbefleckt verläßt.

171 Siehe, wie habe ich mich abgemüht vor dir
und die Schmerzen ertragen,
möge nun nach mir der Böse dich nicht irreführen
wie die Tochter Jakobs [28]).

172 Oder, wirst auch du, wie sie es getan, als Moses
sich entfernte und sie das Kalb schmiedete [29]),
wohl sprechen: Simeon hat sich entfernt,
ich will mich meinen Schändlichkeiten zuwenden?

173 Wenn ich hingegangen bin, so lebt doch der Erlöser,
er, den du lieben sollst,
denn wie einem Manne, ihm habe ich dich anverlobt,
folge deinem Verlobten!

174 Ich möchte nicht Scham über dich empfinden,
wenn dich dein Bräutigam ruft, der dir anverlobt ist,
in deiner Angelegenheit will ich hineingehen und
das Brautgemach schauen und mich an ihm freuen.

175 Sei allezeit meiner eingedenk vor ihm,
an seinem Tisch,
und wenn er dir zuruft, daß du mit ihm
hineingehen sollst, dann erinnere dich an mich.

176 Schau, du sollst die Schmerzen nicht vergessen,
die er wegen dir ertragen hat,
Galle und Essig, Kreuz und Nägel
und die scharfe Lanzenspitze.

177 Wegen dir starb Gott,
der zugleich unsterblich ist,
wende dich nicht wieder
dem Irrtum der toten Bilder zu!"

178 Und als dieses vom Begnadeten
gesprochen war,
da standen die Engelswächter da
und warteten auf ihn bis er scheiden sollte.

179 Er richtete seine Augensterne zur Höhe hinauf
und ließ seine Tränen rinnen [30]),
und er breitete seine Hände aus
nach dem Vorbild seines Herrn auf Golgotha.

180 Er streckte seine Rechte aus
und segnete die Erde und ihre Bewohner,
und er besiegelte sein Leben, neigte sein Haupt
und gab seinen Geist auf.

181 Es eilten die Engelsboten herbei
und nahmen sofort die Braut des Lichtes in Empfang,
und sie erhoben ihre Stimmen, um Psalmen zu singen,
und der Satan zitterte.

182 Da ließen die Engelswächter
Weisen von neuem Lobpreis erschallen,
für den, der die Menschen erwählte,
größer als Engelsboten zu sein.

183 Sie stimmten einen Wechselgesang an,
und die Berge erklangen und Erde erbebte,
als sie sprachen: „Dieser hat den Herrn angerufen,
und Er hat ihn erhört.“ [31])

184 Sie breiteten ihre Flügel aus
und hoben seine Seele in die Mitte ihrer Schwingen,
denn sie sahen die Arbeit dieses Gerechten
und seine Werke.

185 Heiter wurden für ihn ihre Gesichter
zur Zeit seines Todes,
so wie die Engelswächter der Höhe
freudestrahlend waren zu Daniel [32]).

186 Sie gelangten zum Himmel und sangen dort:
„Dies ist das Tor,
durch das die Rechtschaffenen eintreten,
die das neue Leben erben.“

187 Seine Seele trat ein
unter die Scharen des Himmels,
und es riefen die Scharen:
„Komme im Frieden, Braut des Lichtes!“

188 Sie trat ein und kniete nieder
vor dem Richterstuhl der Macht des Sohnes,
und es riefen alle: „Herr, nimm sie auf,
denn sie hat mit Dir gearbeitet!

189 Befehle ihr, daß sie in die Scheune des Lebens gehe
bis zur Auferstehung,
wenn der Leib, ihr Geliebter,
aus dem Staube auferweckt wird.“

190 Es sahen die Jünger ihren Meister, wie er
entschlafen war, und sie erhoben die Stimme,
und es weinten mit ihnen die Steine in den Wänden
und es wankten die Berge.

191 Sie umarmten die Säule
und gaben Laute wie Schakale,
und sie begossen die Erde
schmerzvoll mit ihren Tränen.

192 Es stand der Leichnam da auf der Säule,
und alle blickten hin,
und es hofften die Scharen über den Begnadeten,
daß er fest schliefe.

193 Es stand die Schöpfung da und schrie vor Schmerz
wegen der Stimme seiner Jünger,
als sie zu ihm sprachen:
„Du hast uns verlassen, Vater, wie Waisen!

194 Wohin sollen wir gehen und bei wem Zuflucht nehmen
anstelle von dir,
wer gibt uns, wie du, Trost
aus unseren Bedrängnissen.

195 Wir haben den Volksstamm verlassen
und sind bei dir untergeschlüpft, Herrlicher,
und den Platz des Stammes, der Familie und des Vaters
hast du uns ausgefüllt.

196 Es zog dein Ruf durch die Lande
und wir hörten von dir,
und als wir zu deinem Quellwasser kamen,
da verschloß es den Tod.

197 Wir sahen dein Licht wie eine Fackel,
und wir versammelten uns bei ihm,
und plötzlich blies der Wind des Todes,
und seine Flamme erlosch.

198 Wie bei einem Baum, so bargen wir uns
unter deinem Schatten,
und es kam der Tod, fällte dich plötzlich,
und wir wurden zerstreut.

199 In deiner mächtigen Burg
waren wir vor den Räubern geborgen,
und es kam der Tod, riß sie ein,
und sie fiel, und es kam die Plünderung.

200 Untergegangen ist unsere Sonne, und verfinstert hat sich
das Licht, in dem wir wandelten,
und siehe, auf Strauchelpfaden irren wir umher
am garstigen Ort.

201 Es weint deine Herde, denn gewichen ist von ihr
der Klang deiner Stimme [33]),
die Wüste umgibt sie, und sie gleicht einem Haus,
dessen Erbe gestorben ist.

202 Es leiden mit uns
die Steine, die Berge und auch die Höhen,
wegen deines Wegganges,
gesegneter Vater, voll der Begnadetheit.

203 Die Säule, siehe, auf der du gestanden bist,
Nächte und Tage,
sie schreit vor Schmerz und vor Trauer
wegen deines Wegganges.

204 Die ganze Erde leidet mit uns
wegen deines Wegganges,
erwählter Vater, oh Mar Simeon,
Knecht Jesu.

205 Wir wurden deines Umganges beraubt,
der voll Leben war,
neige dich herab, Vater,
so daß du geistigerweise mit uns bist.

206 Wohl deiner Seele,
die heute zum Hause des Lebens aufgebrochen ist,
und dein Leib ist befreit
von den Qualen und den harten Mühen.

207 Wohl deiner Seele, erwählter Vater,
voll Siegesglanz,
denn sie kam hin und erreichte
das göttliche Königreich.

208 Der Sohn Gottes,
den du seit deiner Jugend geliebt hast,
möge uns in seinem Erbarmen für würdig halten,
daß wir durch deine Fürbitte Erbarmen finden.“

Anmerkungen zum Text

[1]) „Skythen" nannte man zur Zeit Theodorets die Nomaden in den Steppen des heutigen europäischen und asiatischen südrussischen Raumes, also die Wanderhirten, die am Nordrand der Oikumene entlangzogen.

[2]) Das Wort „Philosophia" hat in den ersten nachchristlichen Jahrhunderten eine starke inhaltliche Weitung erfahren und den polaren Bedeutungsumfang von heidnischer Philosophie bis zur eigentlichen christlichen Lebensform angenommen. Für die Christen war insbesondere die Lebensweise der Mönche „Philosophia" und der Mönch ein „Philosophos", denn die Weisheit des Vaters, die die Welt erschaffen hat, ist Christus, und wer sich um diese Weisheit bemüht, ist im christlichen Sinne „Philosoph". Um dies wiederzugeben, wird im folgenden „Philosophia" mit „Hingabe an die Weisheit" übersetzt, wobei in der Weisheit konkret Christus gesehen werden muß. Festugière, S. 388, übersetzt die vorliegende Stelle mit „vie monastique", vgl. auch o. c. S. 296, Anm. 1 und S. 389, Anm. 3. Siehe ferner auch: G. H. W. Lampe, A greec patristic Lexicon, Oxford 1961–1968, S. 1482–1483, und Du Cange, Glossarium ad scriptores mediae et infimae Graecitatis, Lyon 1688, Reprint Graz 1958, Sp. 1678. Einzelheiten zur Entwicklung des Wortes „Philosophia" siehe bei Anne-Marie Malingrey, „Philosophia", Étude d'un groupe de mots dans la litérature grecque, des Présocratiques au IVe siécle après J. C., Études et Commentaires XL, Paris 1961.

[3]) PG 82, Sp. 1464 f, Lietzmann, S. 1; deutsche Übersetzung der gesamten Mönchsgeschichte in BKV 28,1.

[4]) Vgl. auch die Einleitung zu seiner Mönchsgeschichte, PG 82, Sp. 1283–1293; deutsche Übersetzung in BKV 28,1, S. 21–27.

[5]) Als Beispiel hier der bekannte Orientalist Theodor Nöldeke, dessen Kathedergeometrie weite Gebiete der Orientalistik ausgetrocknet hat, in: Orientalische Skizzen, Berlin 1892, S. 227 f: „Das Bewußtsein seiner Gottgefälligkeit und die Verehrung, die man ihm widmete, boten ihm Ersatz für alle Pein, die er sich auferlegte. Der Hochmuth tritt bei unserm Simeon am stärksten darin hervor, daß er seinen Aufenthalt auf einer Säule nahm . . ."

[6]) Konrad Weiß, Die Löwin. Prosadichtungen. München 1948, S. 22.

[7]) Caesarius von Arles, Sermo 25, CC 103, S. 112.

[8]) PG 82, Sp. 1484.

[9]) Jacques Lacarrière, Die Gottrunkenen, Wiesbaden 1961, S. 240 und 268, sieht mit Aldous Huxley in der Provokation visionärer Erlebnisse durch Fasten („Vitaminmangel und Senkung des Blutzuckerspiegels"), Kasteiungen („Histamin- und Adrenalinfreisetzung im Körper") und Schlafentzug („Halluzinationen") das Ziel der Askese. Diese Erlebnisse sollten zum Bewußtsein des „Neuen Menschen" hinführen. Das Ziel der christlichen Asketen ist aber nicht die

visionäre Schau, die allenfalls eine Gnade von außen ist, sondern das Wachsein. Sie versuchen den äußersten Grad an Wachheit und freiem Entscheidungsvermögen selbst im dunklen Bereich der Visionen und Erscheinungen zu bewahren. Jede unkritische Hingabe an visionäre Erlebnisse führte unweigerlich zum Sturz des Asketen.

10) Evagrius Scholasticus, Historia ecclesiatica I, 13, PG 86,2, Sp. 2456, ed. Bidez-Parmentier S. 21 f. Erweitert bei Symeon Metaphrastes, Vita S. Symeonis Stylitae cap. 4, §§ 21–22, PG 114, Sp. 350–352.

11) Vgl. Augustinus, Confessiones VIII,6,4 ff.

12) Oratio ad Stylitam quemdam Thessalonicensem §§ 49 und 52, PG 136, Sp. 241 und 245.

13) Lietzmann S. 1–196. Der syrische Text ist hier nur in deutscher Übersetzung wiedergegeben. Zur Textedition siehe unten.

14) Lietzmann S. 197–228; Delehaye S. I–XXXIV; Peeters S. 29–71; Festugière S. 347–387.

15) Zur Zeit beste kritische Ausgabe bei Lietzmann S. 1–18; ferner PG 82, Sp. 1463–1484. Deutsche Übersetzung: BKV 28,1, S. 156–170, abgedruckt in: Wilhelm Schamoni, Ausbreiter des Glaubens im Altertum, Düsseldorf 1963, S. 102–116. Französische Übersetzung bei Festugière S. 388–401.

16) Lietzmann S. 17; PG 82, Sp. 1484.

17) Text bei Lietzmann S. 18. Zu den Handschriften vgl. o. c. S. 198 f. Diese nachgetragene erweiterte Fassung wird auf S. 82–83 übersetzt.

18) LThK[2] Bd. 10, Sp. 32: spätestens 466. Lietzmann S. 199 und Delehaye S. II mit Anm. 3 halten es nicht für unmöglich, daß Theodoret diesen Nachtrag selbst verfaßt hat. Peeters S. 38 und Festugière S. 245 Anm. 1 und S. 401 Anm. 2 nehmen an, daß Theodoret mindestens zwei Jahre vor Simeon gestorben sei, also vor dem Jahre 457.

19) Vgl. hierzu Peeters S. 38.

20) Einige kritische Bemerkungen zur historischen Glaubwürdigkeit der von Theodoret berichteten Fakten bei Peeters S. 38 ff.

21) Eine Gegenüberstellung bei Lietzmann S. 212 f.

22) Stephan Evodius Assemanus, Acta Sanctorum martyrum orientalium et occidentalium, Rom 1748, pars II, S. 268–398.

23) Ms. Vat. syr. 160 nach Peeters S. 43 und Vööbus (1960) S. 209. Lietzmann und Delehaye nennen als Vorlage Ms. Vat. syr. 117, das aber nach Vööbus (1973,1) S. 151 aus dem 12. oder 13. Jahrhundert stammt und Memre von Jakob von Sarug enthält.

24) Peeters S. 49.

25) Paul Bedjan, Acta martyrum et sanctorum, Tom. IV, Paris und Leipzig 1894, S. 507–649.

26) Ms. Br. Mus. Add. 14, 484; die Vokalisierung stützt sich aber insbesondere auf Ms. Br. Mus. Add. 12, 174, einer jakobitischen Handschrift aus dem Jahre 1197. Die Angabe von Varianten ist eklektisch.

[27]) Lietzmann S. 80–192.

[28]) Zu den Gründen für diese Entscheidung vgl. Lietzmann S. 211 ff. Ihm folgt neuerdings Festugière S. 357, während Peeters S. 50 ff. sich für den alten Text ausspricht und Vööbus (1960) S. 209 die Entscheidung Lietzmanns „a snap decision" nennt.

[29]) Als Sigel werden verwendet: A = Assemanus, B = Bedjan.

[30]) Hiob 42,10. Hiob ist hier das Vorbild des durch Christus erneuerten Menschen.

[31]) Assemanus S. 398, abgedruckt bei Bedjan S. 649, vgl. Lietzmann S. 187 f.

[32]) Vgl. Lietzmann S. 228 f. und Peeters S. 48 Anm. 3, dessen Gedankengang allerdings nicht einsichtig ist.

[33]) Vgl. hierzu ausführlicher S. 94.

[34]) Vgl. Lietzmann S. 209 f.

[35]) Lietzmann S. 19–78. Zu dieser Edition vgl. o. c. S. 200–210. Die Auswahl der zugrundegelegten Handschriften ist zufällig. Französische Übersetzung des griechischen Textes A bei Festugière S. 493–506.

[36]) Januarius Tomus I, Antwerpen 1643, S. 264–269 lateinische Übersetzung einer Münchner griechischen Handschrift (vgl. hierzu o. c. S. 263, cap. 16) und S. 269–274 lateinischer Text aus verschiedenen lateinischen Handschriften (vgl. hierzu o. c. S. 263, cap. 17).

[37]) Vitae patrum I, Antwerpen 1615, S. 170 ff., abgedruckt in PL 73, Sp. 325–334.

[38]) Die Petersburger Handschrift Petropol. graec. 213, siehe Lietzmann S. 200. Die Varianten sind nach dieser Ausgabe unter dem Sigel E im griechischen Text A von Lietzmann angemerkt.

[39]) Peeters S. 43–48; vgl. auch Vööbus (1960) S. 211.

[40]) § 28 (S. 65): „beatum igitur anachoritam Paulum imitans ipsius etiam modo sanctum Christo reddidit spiritum". Der vorausgehende Satz „sicut semper cupiebat dissolvi et esse cum Christo" stimmt fast wörtlich mit dem Text des Hieronymus, Vita Pauli primi eremitae, cap. 11, (PL 23, Sp. 26) überein: „. . . et quod semper cupiebam dissolvi et esse cum Christo . . .". Allerdings findet sich dieser Satz auch sonst in der lateinischen Hagiographie und hat seine Vorlage in Philipperbrief 1,23 des hl. Paulus: „. . . desiderium habens dissolvi et esse cum Christo . . .".

[41]) Siehe S. 71.

[42]) Vgl. Honorius Augustodunensis, PL 172, Sp. 1189 C–D.

[43]) Die gelegentlich verwendete Form Sisan ist eine fälschliche Übernahme des von Theodoret gebrauchten Akkusativs.

[44]) Vgl. Anm. 2.

[45]) Lietzmann §§ 2–3, S. 1–3; PG 82, Sp. 1465–1468.

[46]) Lietzmann §§ 1–4, S. 20–25; Acta Sanctorum Jan. I, S. 264.

[47]) Lietzmann S. 21–25; Acta Sanctorum Jan. I, S. 269; PL 73, Sp. 325.

[48]) Einzig PL 73, Sp. 325, nennt einen Zeitraum von fünf Tagen, der einer sehr alten Tradition entspricht, nach der am Ruhetage nach der Erschaffung der Welt, dem Sabbat, und am Tage ihrer Neuschöpfung durch die Auferstehung des Herrn, dem Sonntag, nicht gefastet wird. Die Ostkirche kennt auch heute noch nur fünf Fasttage pro Woche, so daß ihre Quadragesima um zwei Wochen länger ist als die des Westens.

[49]) Assemanus S. 268–271; Bedjan S. 508–510; Lietzmann S. 80–82.

[50]) Assemanus S. 271–272; Bedjan S. 511–512; Lietzmann S. 82–83.

[51]) Nach Theodoret, siehe Lietzmann S. 3, PG 82, Sp. 1468. Vgl. auch Festugière S. 312.

[52]) Dieser Topos war bei den Vätern so verbreitet, daß der Leser der vorliegenden Vita im Brüderpaar Simeon – Schemsi unmittelbar das Verhältnis von Kirche und Synagoge erkannte. Als weiteres Beispiel sei angeführt: Theodoret berichtet in seiner Historia Religiosa cap. 6 (PG 82, Sp. 1362) von einem Einsiedler, dessen Gefährte auf dem gemeinsamen Weg zum Berge Sinai gestorben war. Daraufhin vollendet er nicht mehr den Gang zum Berg der Anschauung Gottes, dem Sinai, sondern harrt betend bei seinem toten Gefährten bis zu seinem eigenen Lebensende aus. Auch in dieser Erzählung klingt das Verhältnis der beiden Gottesvölker zueinander an.

[53]) Assemanus S. 366–367; Bedjan S. 542–543; Lietzmann S. 105–106.

[54]) Assemanus S. 367 f; Bedjan S. 543; Lietzmann S. 106.

[55]) Vgl. Festugière S. 312.

[56]) Nach der syrischen Vita trat er mit fünf Jahren ins Kloster ein und starb mit 79 Jahren. Dort wird auch gesagt, daß er vor seinem Tode das Kloster in die Hände Simeons übergab. (Assemanus S. 284; Bedjan S. 525, Lietzmann S. 93).

[57]) Lietzmann S. 3–4; PG 82, Sp. 1468.

[58]) Etwa in der Enkratitenbewegung, im Montanismus und im Manichäismus. Aus dieser Erfahrung der Sinnentleerung trat beispielsweise Augustinus in seinem Brief an Casulanus (36. Brief) für sehr milde, aber auf das Heilsgeschehen bezogene Formen des Fastens ein.

[59]) Didache 8,1, Funk S. 5.

[60]) Vgl. Mt. 9,15; Mk. 2,19; Lk. 5,34–35.

[61]) Vgl. etwa Tertullian, De Ieinuio 2, 2–3, CC 2, S. 1258, PL 2, Sp. 955 f. und Constitutiones Apostolicae V,15 und VII, 23, PG 1, Sp. 880 und 1013 f.

[62]) Vgl. RAC 7, Sp. 511.

[63]) Is. 55,1.

[64]) Mt. 5,6; Lk. 6,21.

[65]) Joh. 7,37–39.

[66]) Instructio XIII, 2. S. Columbani opera, Scriptores Latini Hiberniae Vol. II, Dublin 1957, S. 116–118.

[67]) Ps. 93,17.

[68]) Prov. 5,14.
[69]) Ps. 118,87.
[70]) Prov. 18,19.
[71]) Historia monachorum in Aegypto I, 45–58, ed. A. J. Festugière, Subsidia Hagiographica 34, Brüssel 1961, und 53 (mit französischer Übersetzung), Brüssel 1971, S. 26–32. Lateinische Übersetzung von Rufin in PL 21, Sp. 401–403.
[72]) Johannis Cassiani Conlatio VIII,1, CSEL 13, S. 217.
[73]) Theodoret H. R. 26,5, Lietzmann S. 3–4, PG 82, Sp. 1467.
[74]) § 19, Lietzmann S. 91; Assemanus S. 281; Bedjan S. 522.
[75]) Einzig die bei Lietzmann edierte lateinische Version berichtet von dreitägigen Fastenperioden Simeons. Lietzmann S. 27: „omnes ieiunabant usque ad vesperum, ille autem triduo". Ein solches dreitägiges Fasten entspricht zwar der Grabesruhe Christi, doch läßt es sich nicht periodisch in den Wochenlauf einfügen.
[76]) Ps. 50,7.
[77]) Lietzmann S. 28–30. Vgl. Acta Sanctorum Jan. I, S. 265 und 269 f. und PL 73, Sp. 326 f.
[78]) H. R. 26,6, Lietzmann S. 4 f., PG 82, Sp. 1469.
[79]) Lietzmann S. 30–35; Acta Sanctorum Jan. I, S. 265 und 270; PL 73, Sp. 327.
[80]) Lietzmann Version A, § 11, S. 32–34.
[81]) Nach Bedjan S. 519, Lietzmann § 14, S. 88; vgl. Assemanus S. 279.
[82]) Bedjan S. 522, Lietzmann § 20, S. 91.
[83]) Assemanus S. 282.
[84]) So Bedjan S. 576, Lietzmann § 84, S. 130; Assemanus S. 304 sagt dreimal vierzig Tage, also für drei Fastenzeiten.
[85]) Assemanus S. 282; Bedjan S. 522 f.; Lietzmann § 21, S. 91.
[86]) Siehe Festugière S. 312 f.
[87]) Nach der syrischen Vita § 90 (Lietzmann S. 133; Assemanus S. 308; Bedjan S. 579 f.) öffnete Simeon am Todestag des Herrn seine Abschließung, wohl weil mit dem Tode Christi die große Einschließung der Menschheit in den Todesbezirk der Erde durchbrochen wurde. Vgl. hierzu ausführlicher S. 78.
[88]) Lietzmann §§ 22–26, S. 92–95; Assemanus S. 283–288; Bedjan S. 524–528.
[89]) Mt. 4,1–2; Lk. 4,1–2; vgl. Mk. 1,13.
[90]) Assemanus S. 371 f; Bedjan S. 618; Lietzmann § 115, S. 161 f.
[91]) Ex. 24,18; 34,28.
[92]) 3. Kön. 19,8.
[93]) Lietzmann § 11, S. 87; Assemanus S. 276; Bedjan S. 517.
[94]) Lietzmann § 7, S. 5 f.; PG 82, Sp. 1469.
[95]) Lietzmann § 9, S. 6; PG 82, Sp. 1469–1472.
[96]) Acta Sanctorum Jan. I, S. 270 und PL 73, Sp. 327 nennen wie die syrische Vita lediglich ein Jahr.
[97]) Acta Sanctorum Jan. I, S. 270 und PL 73, Sp. 328: drei Jahre.

[98]) Lietzmann § 12, S. 34–37, (alle drei Versionen) und Acta Sanctorum Jan. I, S. 265.

[99]) Hierzu der bereits in Anm. 5 zitierte Theodor Nöldeke, o. c., S. 227: „Ob die Bezeichnung der Thiere als Wanzen zoologisch richtig ist, mag dahingestellt bleiben; daß der Mann zur Ehre Gottes von Ungeziefer gestarrt hat, ist auch so gewiß". Zusätzlich merkt er hierzu an: „Wo die Haut unempfindlich ist, da ist es auch Geist und Seele".

[100]) Lietzmann § 10, S. 6 f.; PG 82, Sp. 1472.

[101]) Bedjan S. 528–535; Lietzmann §§ 27–38, S. 95–100; Assemanus S. 288–360 berichtet für diese Zeit einen großen Teil der Wunder und Taten Simeons, die bei Bedjan erst für die Zeit nach der großen Einschließung angeführt werden.

[102]) Assemanus S. 360; Bedjan S, 535; Lietzmann § 40, S. 100.

[103]) Lietzmann § 20, S. 15; PG 82, Sp. 1481.

[104]) Assemanus S. 360–365; Bedjan S. 535–541; Lietzmann § 40–49, S. 100–104.

[105]) Vgl. hierzu S. 78.

[106]) Bedjan S. 541; Lietzmann § 50, S. 104. Zwei Ellen entsprechen etwa einem Meter und vier Fuß sind ca. 1,30 m, vgl. Lietzmann S. 241. Assemanus S. 365 f.: „Danach legte er sich einen Stein hin, der hatte 22 Ellen Höhe". Die 22 Ellen sind wohl eine Fehlschreibung. Diese Höhe entspricht der der dritten Säule Simeons (vgl. Assemanus S. 373 und 376; Bedjan S. 620; Lietzmann § 116, S. 162).

[107]) Paul Bedjan, Acta martyrum et sanctorum, Paris und Leipzig 1890–1897, Bd. III, S. 192 ff.; deutsche Übersetzung in: BKV, Bd. 6, S. 332 ff. Vgl. auch S. Ephraem Comentarii in Genesim et in Exodum 26, 2–3, CSCO 152, S. 89 (Textus) und CSCO 153, S. 74 (Versio): „. . . In dem Salböl aber, das er über den Stein ausschüttete, war das Bild des Gesalbten (= Christus) dargestellt, der in diesem verhüllt war . . . Durch den Stein aber wiederum wurde das Bild der Kirche gezeichnet".

[108]) Assemanus S. 366; Bedjan S. 541; Lietzmann § 52, S. 105.

[109]) Vgl. S. 23–25.

[110]) Vgl. den S. 25 übersetzten Text Assemanus S. 367, Bedjan S. 543, Lietzmann § 54, S. 106.

[111]) Bewohner des Ostjordanlandes.

[112]) Zwischen Schwarzem und Kaspischem Meer.

[113]) Stämme im Südosten Arabiens.

[114]) In der Vita S. Genofevae wird erzählt, daß Simeon über Kaufleute von der Heiligen Kunde bekommen und sie um ihre Gebete angehalten habe. Vgl. MGH Script. rer. Merov. Bd. III, S. 226.

[115]) Lietzmann § 11, S. 8; PG 82, Sp. 1472 f.

[116]) Lietzmann § 12, S. 8; PG 82, Sp. 1413.

[117]) Eine Elle ist etwa ein halber Meter.

[118]) Assemanus S. 373; Bedjan S. 619 f.; Lietzmann § 116, S. 163 f.

[119] Assemanus S. 379, Bedjan S. 626 f.; Lietzmann § 122, S. 167 f.
[120] Vgl. Eusebius, Kirchengeschichte V, 24, 12.
[121] Assemanus S. 375 f.; Bedjan S. 623; Lietzmann § 118, S. 165.
[122] Ca. zwanzig Meter.
[123] Assemanus S. 375; Bedjan S. 622 f.; Lietzmann § 117, S. 164.
[124] Assemanus S. 376–378; Bedjan S. 624–626; Lietzmann §§ 119–121, S. 165–167.
[125] Die einzelnen griechischen Handschriften geben verschiedene Namen, vgl. Lietzmann S. 34, Zeile 19: Gelasiois (A), Thalanés (C), Dathaneis (D), Thanalis (E), Thalanis (F), Galamathón (X, vgl. Lietzmann S. 35, Zeile 14). Zur Schreibung Thalanis, das am ehesten mit dem von Theodoret überlieferten Telanissos übereinstimmt, vgl. Festugière, S. 496, Anm. 3.
[126] Lietzmann §§ 12–13, S. 34–37. Die Höhen der verschiedenen Säulen sowie die Zahl der Jahre, die Simeon auf ihnen stand, weichen in den einzelnen lateinisch überlieferten Versionen stark voneinander ab.
[127] Lietzmann § 17, S. 42–43. Diese letzte Höhe der Säule geben sämtliche Versionen an.
[128] Theodoret, H. R. cap. 19, Lietzmann S. 14, PG 82, Sp. 1480.
[129] De gloria confessorum cap. 26, MGH script. rer. Merov. I, S. 764, PL 71, Sp. 849.
[130] Historia monachorum in Aegypto ed. A. J. Festugière, Subsidia Hagiographica 53, Brüssel 1971, S. 10–11.
[131] Augustinus, In Joh. ev. VIII, 9, CC 36, S. 87–88, PL 35, Sp. 1455–1456.
[132] Augustinus, In Joh. ev. VIII, 4, CC 36, S. 84, PL 35, Sp. 1452.
[133] Johannes Chrysostomus, Huit catéchèses baptismales, Catech. 3,17, SC 50, S. 161 und 176.
[134] Augustinus, In Joh. ev. IX, 10, CC 36, S. 96, PL 35, Sp. 1463.
[135] Augustinus, In Joh. ev. CXX, 2, CC 36, S. 661, PL 35, Sp. 1963.
[136] Vgl. etwa die Auswahl seiner Gedichte von P. Landersdorfer in BKV, Bd. 6, S. 271–431.
[137] Paul Evdokimov, Le Christ dans la pensée russe, Paris 1970, S. 26 (deutsch: Christus im russischen Denken, Sophia Bd. 12, Trier 1977, S. 24–25), in Erklärung der Theologie des hl. Maximos Confessor.
[138] Die verschiedenen Belege siehe bei Hugo Rahner, Symbole der Kirche. Die Ekklesiologie der Väter. Salzburg 1964, S. 13–87.
[139] Explanatio Apocalypsis II, 12, PL 93, Sp. 166 D.
[140] In Hexaemeron I, PG 89, Sp. 860.
[141] Vers 174.
[142] Vers 175.
[143] 1. Kor. 14,35 und 1. Tim. 2,12.
[144] Expos. Evang. sec. Lucam X, 168, CC 14, S. 394, PL 15, Sp. 1854 f.
[145] Augustinus, In Joh. ev. CXXI, 5, CC 36, S. 667, PL 35, Sp. 1958.

[146]) Einzelheiten und Belege aus den Väterschriften siehe bei Hugo Rahner, Die sterbende Kirche, in: Symbole der Kirche. Die Ekklesiologie der Väter. Salzburg 1964, S. 97–139. Allerdings sollte bei der Lektüre beachtet werden, daß die Väterschriften nicht das Echo der antiken Gedanken sind und in ihnen nicht die hellenistische Kosmologie auf ein christliches Weltgebäude übertragen wird. Die Väter sehen die ganze Schöpfung und den ganzen Kosmos auf das Verhältnis von Christus und der Kirche hin von allem Anfang an angelegt und in diesem Verhältnis erfüllt. Allein von den Heilsereignissen her kann der Sinn der Welt und ihrer geordneten Bewegungen erkannt werden. Die Väter streben also keine Verchristlichung antiker Gedanken und Naturvorstellungen an, sondern entwerfen eine vollkommen neue Weltsicht.

[147]) Die übrigen Versionen geben entweder 27 Jahre oder nur „nach langer Zeit" an.

[148]) Wörtlich: Sakristane, Wächter des Kirchenschatzes u. ä. Vgl. Festugière S. 352 und 375 Anm. 3.

[149]) Lietzmann § 14, S. 36–38.

[150]) Lietzmann S. 37–41. Vgl. auch Delehaye S. IV.

[151]) Vgl. S. 86–87. Den Bericht über den bekehrten Räuber siehe bei Lietzmann § 20, S. 48–55.

[152]) Verse 64 bis 129.

[153]) De Civ. Dei 16,39, CC 48, S. 545, PL 41, Sp. 518; Enarratio in Ps. 44,20, CC 38, S. 508, PL 36, Sp. 506.

[154]) Vgl. 1. Kor. 12,26.

[155]) Jakob von Sarug, Lobrede auf Simeon den Säulensteher, Vers 65.

[156]) O. c. Vers 69.

[157]) O. c. Vers 75.

[158]) O. c. Vers 96.

[159]) O. c. Vers 107.

[160]) O. c. Vers 116.

[161]) Siehe Anm. 2.

[162]) Wohl kaum Ravenna, wie gelegentlich angegeben, sondern eine Ortschaft am Euphrat. Vgl. Festugière S. 351 Anm. 2 und Peeters S. 42 Anm. 1.

[163]) H. R. §§ 20–21, Lietzmann S. 15–16, PG 82, Sp. 1491.

[164]) Assemanus S. 306; Bedjan S. 577 f.; Lietzmann § 86, S. 131.

[165]) Assemanus S. 307; Bedjan S. 578; Lietzmann § 87, S. 132.

[166]) Der neue Tag beginnt nicht um Mitternacht, sondern mit dem Morgen.

[167]) Assemanus S. 308 f.; Bedjan S. 579, Lietzmann § 90, S. 133.

[168]) Ausführlicher siehe S. 94–96.

[169]) Vgl. auch Assemanus S. 317, Bedjan S. 586, Lietzmann § 95, S. 139: „Und der Begnadete schloß die Türe seiner Umfriedung am Sonntag".

[170]) Acta Sanctorum Jan. I, S. 266: „eine lange Zeit bis zu seinem Tode". Vgl. auch Lietzmann S. 210. Die griechischen Versionen

bei Lietzmann S. 44 und 45: „die Zeit von zwei Jahren". PL 73, Sp. 328 und Acta Sanctorum Jan. I, S. 270: „ein ganzes Jahr".

[171]) Nach den übrigen Texten ist „in terram" zu ergänzen. Dadurch wird auch die Weiterführung des Satzes mit „unde" besser verständlich.

[172]) Lietzmann § 17, S. 43–45. Die Scheinvision wird auch in PL 73, Sp. 328 und in den Acta Sanctorum Jan. I, S. 266 berichtet. Die übrigen Versionen erzählen nur, daß der Satan ein Bein Simeons verwundet.

[173]) Sermo 29,3, CC 23, S. 113 f. Vgl. auch Augustinus, Enarratio in Ps. 21,7, CC 38, S. 125, PL 36, Sp. 168, ferner Anastasius Sinaites, In Hexaemeron 4, PG 89, Sp. 891 und Cassiodor, Expositio in Ps. 21,7, CC 97, S. 193 u. a.

[174]) D. h. der Sarazenenkönig kam, um Simeon ein Gebet zu bitten. Vgl. Festugière S. 498 Anm. 3.

[175]) Lietzmann § 18, S. 44–46.

[176]) Vgl. Lietzmann S. 198 f.

[177]) Vgl. Anm. 18.

[178]) Hieronymus, Vita Pauli primi eremitae § 15, PL 23, Sp. 27.

[179]) Vita S. Symeonis Stylitae cap. 14, § 54, PG 114, Sp. 387.

[180]) Sie steht anstelle des S. 12 übersetzten Textes und schließt sich bei Lietzmann an S. 17, Zeile 26, in PG 82 an Sp. 1484 C an. Auch Gentianus Hervet, dessen lateinische Übersetzung in PG 82, Sp. 1483, abgedruckt ist, fand sie in seiner Vorlage.

[181]) So nach dem Text von Gentianus Hervet, siehe Lietzmann S. 18 und PG 82, Sp. 1483 Anm. 84.

[182]) Lietzmann S. 18.

[183]) Wilhelm Nyssen, Heiliges Köln, Köln 1974, S. 105.

[184]) Das heißt bei Setzungen müssen die obersten, umfassenden Kategorien, wie „das Schöne", „das Gute" etc., zuerst bestimmt werden. Von ihnen aus steigt die Aussage auf immer einfachere und speziellere Definitionen herab.

[185]) PG 3, Sp. 1025.

[186]) So Version X, vgl. Lietzmann S. 65.

[187]) Lietzmann cap. 28–29, S. 64–70.

[188]) Dies scheint auch die ursprüngliche Form der Version X, Lietzmann S. 65, zu sein. Allerdings läßt sich durch die (eingeschobene ?) Nennung des Samstags und des Sonntags (entsprechend der Version A) nicht entscheiden, ob der Satz „als ich dies bemerkte, da stieg ich, der allerniedrigste Antonius zu ihm am zweiten Tag hinauf" den Samstag (bezogen auf den Freitag), den Sonntag (bezogen auf den Samstag, an dem Simeon sich nicht mehr erhebt) oder den Montag (bezogen auf den Sonntag oder als „feria secunda)" meint.

[189]) Vgl. auch den Bericht über die Begegnung mit der Mutter und den über den bekehrten Räuber S. 72–73. Sowohl der Räuber wie die Mutter sterben nach den griechischen Versionen, während sie nach der lateinischen am Leben bleiben.

[190]) Der hl. Paulus, der erste Einsiedler, der Antonius den Großen vor seinem Tode wegschickte, starb ebenfalls ohne Zeugen. Vgl. Hieronymus, Vita Pauli primi eremitae § 28, PL 23, Sp. 26 und S. 16 mit Anm. 40. Ein bestimmter Todestag wird von Hieronymus nicht angegeben.

[191]) Lietzmann S. 65 f.

[192]) Vgl. Acta Sanctorum Jan. I., S. 263, cap. 17.

[193]) Acta Sanctorum Jan. I, S. 273.

[194]) Nach Peeters kann der Bote, wenn er am Sonntag aufbricht, frühestens am Dienstag Abend in Antiochien ankommen. Dann aber benötigt der Bischof der Stadt noch geraume Zeit, um die übrigen Bischöfe zusammenzurufen, und der Militärbefehlshaber, um seine Truppe zu ordnen. Dieser bürokratischen Idylle widerspricht Festugière S. 378–380 mit gewichtigen Gründen.

[195]) Siehe hierzu S. 48.

[196]) Assemanus S. 379; Bedjan S. 627; Lietzmann § 123, S. 168.

[197]) Vgl. hierzu Lietzmann S. 232, Delehaye S. X, Peeters S. 62–68 und Festugière S. 366–368, der sich insbesondere gegen die Rechnungen von Peeters wendet.

[198]) Vgl. Mt. 11,11 und Lk. 7,28.

[199]) Assemanus S. 380; Bedjan S. 628; Lietzmann § 123, S. 168 f.

[200]) Bedjan S. 554; Lietzmann § 65, S. 113. Bei Assemanus fehlt dieser Bericht.

[201]) Dt. 32, 48–52; 34, 1–5.

[202]) Assemanus S. 380 f; Bedjan S. 628 f.; Lietzmann § 124, S. 169.

[203]) Zwischen fünf und sechs Uhr am Sonntagmorgen. Der neue Tag beginnt mit der ersten Morgenstunde und nicht um Mitternacht.

[204]) Das syrische Wort buhrana bezeichnet neben „Prüfung" auch die „Krisis" einer Krankheit, d. h. ihren kritischen Höhepunkt, auf den entweder die Gesundheit oder der Tod folgt. Für Simeon ist es der letzte und entscheidende Höhepunkt seines Lebens. Nachdem er ihn überschritten hat, kommt ihm der Lohn zu.

[205]) Assemanus S. 381 f.; Bedjan S. 629; Lietzmann § 125, S. 169 f.

[206]) Vgl. Bedjan S. 580; Lietzmann § 90, S. 134. Bei Assemanus fehlt dieser Satz mit der Namensnennung.

[207]) In Hexaemeron 4, PG 89, Sp. 892.

[208]) Vgl. den pseudoaugustinischen Sermo in PL 40, Sp. 685–694, der von dieser Bestellung des Ackers handelt und mit „De Quarta Feria" überschrieben ist.

[209]) Cap. 8, Funk S. 5.

[210]) Vgl. S. 77–78.

[211]) Assemanus S. 383; Bedjan S. 631 f.; Lietzmann § 126, S. 171.

[212]) S. 222, 228–238 und 253.

[213]) S. 222.

[214]) Auf S. 235 ist „Freitag", den 2. September, ein offensichtlicher Druckfehler.

[215]) S. 253.

[216]) S. X–XV.
[217]) Vgl. S. 44–48.
[218]) S. 61.
[219]) S. 380–388.
[220]) Assemanus S. 392; Bedjan S. 641; Lietzmann § 134, S. 178.
[221]) Bedjan S. 644; Lietzmann § 137, S. 180.
[222]) Vgl. Lk. 23,53 und Joh. 19,41.
[223]) Vers 174.
[224]) Vgl. Assemanus S. 391; Bedjan S. 640; Lietzmann § 133, S. 177.
[225]) Vgl. Assemanus S. 393 f.; Bedjan S. 643; Lietzmann § 136, S. 179.
[226]) Vgl. Vita Danielis Stylitae cap. 57–58 ed. Delehaye S. 55–57. Ferner Delehaye S. L und Tchalenko I, S. 227.
[227]) PG 86,2 Sp. 2457, ed. Bidez-Parmentier S. 23.
[228]) Dieser Name ist die heutige arabische Bezeichnung. Am Ende des 10. Jahrhunderts, unter den Kaisern Basilios II Bulgaroktonos und Konstantin VIII, wurde die Simeonsbasilika und die anschließenden Klostergebäude in eine byzantinische Festung umgebaut. Im 19. Jahrhundert diente ein Teil der Gebäude als kurdischer Palast. Im einzelnen ist das Schicksal der Qal^{c}at Sim^{c}an noch nicht untersucht, vgl. Tchalenko I, S. 242–249.
[229]) Vgl. Tchalenko I, S. 227–234.
[230]) Die Spuren dieser steinernen Umfriedung in der Größe von 4,60 m auf 4,40 m beschreibt Krencker S. 7.
[231]) Lassus S. 129.
[232]) Tchalenko I, S. 262.
[233]) Auf die große Zahl der Quellenbelege kann hier nicht eingegangen werden. Als Beispiele seien lediglich genannt: In der Arche wurden acht Seelen (1. Petr. 3,20) und Noe der Achte (octavus Noe), d. h. der achte der Urväter, (2. Petr. 2,5) gerettet. Am achten Tage gibt Christus dem zweifelnden Thomas die Gewißheit seiner leiblichen Auferstehung (Joh. 20,24–29). Auch in der Beschneidung, die am achten Tage nach der Geburt vollzogen wurde, sahen die Väter das Vorbild für die Auferstehung am Ende der Tage (vgl. etwa Augustinus, Sermo 8 in octava Paschatis IV, PL 46, Sp. 840 f.). Ferner ist in der Oktav der großen Feste dieser Sinn enthalten. Zur Symbolik der Achtzahl vgl. auch Franz Joseph Dölger, Antike und Christentum Bd. IV, S. 153–187.
[234]) So nach der Ausgabe von Bidez-Parmentier S. 24. PG 86,2, Sp. 2460: wegen der asketischen Übungen des allerheiligsten Simeon, der dem Platz den Namen hinterlassen hat.
[235]) Im Itinerarium Pseudo-Antonini Placentini cap. 20, CC 175, S. 139 und 164, wird berichtet, daß bei der Kreuzverehrung im Hof der Auferstehungskirche in Jerusalem ein Stern am Himmel erscheint und solange über dem Kreuz stehen bleibt, bis es zurückgebracht wird.

[236]) Evagrius, Historia ecclesiastica I,14, PG 86,2, Sp. 2460–2461, ed. Bidez-Parmentier S. 23–25.

[237]) Im Gegensatz zur klassischen Antike, in der zum ersten Mal die organische Ganzheit eines Körpers entdeckt wurde, knüpft das christliche Denken bewußt wieder an früheren Formen an, nach denen jedes Ding sich aus verschiedenen, unterschiedlichen und einzeln beschreibbaren Aspekten oder Ansichten zusammensetzt. Auf diese, in erster Linie in der christlichen Theologie begründete Vorstellungsweise, deren Verständnis heute noch immer durch das spätestens während des Humanismus herrschend gewordene „ganzheitliche" Denken erschwert wird, kann in diesem Zusammenhang nur hingewiesen werden.

[238]) Vgl. Krencker passim, Tchalenko I, S. 271–276, Lassus S. 135 f.

[239]) Vita Symeonis Stylitae cap. 15, PG 114, Sp. 392.

[240]) Butler S. 281, Krencker S. 24; Tchalenko I, S. 275 Anm. 1 gibt lediglich eine Abweichung von drei Grad an.

[241]) Krencker S. 24.

[242]) LThK[1] Bd. 7, Sp. 828 und LThK[2] Bd. 7, Sp. 1295, geben als früheste Quelle Wilhelm Durandus den Älteren an, ohne jedoch die entsprechende Stelle zu nennen. In seinem zwischen 1286 und 1291 geschriebenen Werk „Rationale divinorum officiorum" konnte sie nicht aufgefunden werden. Dagegen betont Durandus in Cap. 1,8, daß sich die Ostung einer Kirche nach dem Sonnenaufgang und zwar zur Zeit der Äquinoktien richten soll.

[243]) Krencker S. 24; Bernhard Kötting, Peregrinatio religiosa. Forschungen zur Volkskunde Heft 33–35. Regensburg und Münster 1950, S. 129.

[244]) In verschiedenen griechischen und syrischen Synaxarien werden der 26./27. Juli und der 1./2. September als Gedenktage Simeons genannt (vgl. Delehaye S. XIII). Auf welche Daten im Leben des Heiligen sich diese Tage beziehen, ist nicht mehr feststellbar. Auch die Angabe in der syrischen Vita, daß zwischen dem letzten Gedenktag Simeons und dem Beginn seines Sterbens am 29. August dreißig Tage liegen, muß keine genaue Zeitangabe sein, sondern weist in erster Linie auf den inneren Sinn des letzten Lebensabschnittes hin. Da der 26. Juli im Jahre 459 auf einen Sonntag fiel, legte Delehaye nach der Vita des Antonius den Tod Simeons auf Freitag, den 24. Juli. Am 1. September wurde Simeon dann seiner Meinung nach in der Großen Kirche von Antiochien beigesetzt (vgl. Delehaye S. XIII–XV). Dieser Berechnung folgt Festugière S. 383, doch datiert er den Tod Simeons auf Sonntag, den 26. Juli 459.

[245]) Vita S. Danielis Stylitae ed. Delehaye S. 1–147, vgl. auch o. c. S. XXXV–LVIII.

[246]) P. van den Ven, La vie ancienne de S. Syméon Stylite le Jeune, Subsidia Hagiographica 32, Teil I (Einführung und griechischer Text), Brüssel 1962, Teil II (Übersetzung und Kommentar),

Brüssel 1970. Ferner PG 86,2, Sp. 2965–3220 und Delehaye S. LIX–LXXV und 238–271.

247) LThK[2] Bd. 9, Sp. 1216.

248) Zu Einzelheiten siehe Delehaye S. CXVII–CXLIII.

249) Non est aequa haec via. Vgl. Ez. 18,25.

250) Gregor von Tours, Historiarum lib. VIII, 15, ed. Rudolf Buchner in: Ausgewählte Quellen zur deutschen Geschichte des Mittelalters, Band III, Darmstadt 1955, S. 176–182.

251) Zu den frühen Darstellungen Simeons vgl. die grundlegende Untersuchung von Victor H. Elbern, Eine frühbyzantinische Reliefdarstellung des älteren Symeon Stylites, in: Jahrbuch des Deutschen Archäologischen Instituts, Band 80 (1965), S. 280–304. Die wichtigsten Literaturangaben zu späteren Darstellungen des Säulenstehers in Handschriften, Wandmalereien und Mosaiken siehe o. c., S. 292, Anm. 30.

252) Section des Antiquités Chrétiennes, Inv. Nr. MA 3466. Beschreibung bei Victor H. Elbern, o. c., S. 284 ff. mit Abb. 3. Höhe 1,22 m, Breite 0,39 m, Tiefe 0,30 m. Die Vorderseite zeigt die im weiteren beschriebene Darstellung Simeons auf der Säule, auf den drei übrigen Seiten befinden sich lediglich die zwei oberen Eckzweige und in ihrer Mitte je eine Säule mit sechseckigem Kapitel. Inschriften: ABPAMIΣ AZIZON (Abraamis Azizon, vermutlich der Stifter), die Zahl HΣ = 208 der Aera martyrum = 492 n. Chr. und AΓIOΣ ΣIMEωNHΣ (Heiliger Simeon).

253) Frühchristlich-byzantinische Abteilung, Inv. Nr. 9/63. Beschreibung bei Victor H. Elbern, o. c., S. 280 ff. mit Abb. 1. Höhe 0,84 m, Breite ca. 0,63 m.

254) Vgl. Carlo Cecchelli, Guiseppe Furlani und Mario Salmi, The Rabbula Gospels, Facsimile Edition, Olten und Lausanne 1959, S. 69–71 und Wilhelm Nyssen, Das Zeugnis des Bildes im frühen Byzanz, Sophia Band 2, Freiburg 1962, S. 77–82.

255) Ex. 13,22.

256) Gen. 28,12.

257) Ephraem, Hymni de Epiph. 9,11, CSCO 186 = syr. 82 (Textus), S. 179, CSCO 187 = syr. 83 (Versio), S. 165.

258) Visio II, cap. 4. Der Hirt des Hermas, hsg. von Molly Whittaker. Die Griechischen Christlichen Schriftsteller der ersten Jahrhunderte Bd. 48 = Abt. 18, I, Berlin 1956, S. 7.

259) Johannes Climacus, Scala paradisi, PG 88, Sp. 632–1208.

260) Gen. 6,16.

261) Vgl. 1 Petr. 3,20 und 2. Petr. 2,5; siehe auch Anm. 233.

262) Topographia Christiana, SC 159, S. 129–131.

263) 2. Petr. 2,5.

264) Gen. 8,11.

265) Apok. 8,3–4. Vgl. hierzu auch Victor H. Elbern, o. c., S. 300–303.

266) Verse 143 und 144.

[267]) Vgl. hierzu Wilhelm Nyssen in: Josef Ricus, Skulpturen, Paderborn 1973, S. 101 f.

[268]) De Mystica Theologia cap. II, PG 3, Sp. 1023. Den vollständigen Text dieses Kapitels siehe S. 84.

[269]) Verse 4 bis 6.

[270]) Ode VI, 1–2, ed. Walter Bauer, Die Oden Salomos, Berlin 1933, S. 12.

[271]) Lietzmann S. 245 Anm. 4.

[272]) Verse 77 und 82.

[273]) Verse 104, 107 und 108.

[274]) Verse 101 und 102.

[275]) Vers 173.

[276]) Joh. 11,1–45.

[277]) Vööbus (1973,1) S. 3 und 85.

[278]) Die Quellen gehen hier auseinander, vgl. Vööbus (1973,1) S. 4 mit Anm. 15 und S. 8.

[279]) Vööbus (1973,1) S. 3, S. 6 und S. 85.

[280]) Vööbus (1973,1) S. 85.

[281]) Text bei Vööbus (1973,1) S. 20 Anm. 16 nach der Handschrift Jerusalem Markuskloster 156, fol. 68 a.

[282]) Zu dieser Stelle vgl. Hugo Rahner, Flumina de ventre Christi, in: Symbole der Kirche. Die Ekklesiologie der Väter. Salzburg 1964, S. 175–235.

[283]) Ambrosius, De paradiso cap. III, PL 14, Sp. 279–283, CSEL 32,1, S. 272–280. Vgl. auch Ambrosius, Enarratio in Ps. 45,12, PL 14, Sp. 1138–1139, CSEL 64, S. 337 f.

[284]) Assemanus S. 230–244.

[285]) Bedjan S. 650–665, vgl. Avant-propos S. XIV.

[286]) Vööbus (1973,2) gibt sieben Handschriften an: Hs. Vat. syr. 464 = Vööbus II,1,25; Hs. Jerusalem Markuskloster 198 = Vööbus III,14,1; Hs. Damaskus Patr. 12/13 = Vööbus VII,1,137; Hs. Damaskus Patr. 12/15 = Vööbus VII,3,142; Hs. Jerusalem Markuskloster 156 = Vööbus VII,4,199 und 200; Hs. Vat. syr. 117 = Vööbus VII,5,223; Hs. Mardin Orth. 135 = Vööbus VII,7,142.

[287]) Carl Brockelmann, Syrische Grammatik, 11. unveränderte Aufl., Leipzig 1968, Chrestomatie, S. 102–122.

[288]) BKV Bd. 6, S. 139–157.

Anmerkungen zur Lobrede Jakobs von Sarug auf Simeon den Säulensteher

[1]) Vgl. Is. 55,1 und Apk. 22,17.
[2]) Vgl. I. Sam. 26,20.
[3]) Vgl. Athanasius, Vita et conversatio s.p.n. Antonii cap. 31 ff, PG 26, Sp. 889 ff: Wer genau beobachtet, erkennt, daß die Dämonen über keine wirkliche Macht verfügen, sondern daß sie diese den Menschen mit Tricks vortäuschen.
[4]) David.
[5]) Vgl. Ps. 117,12.
[6]) Vgl. Matth. 26,50 und Joh. 13,27.
[7]) Vgl. Ps. 17,33 f.
[8]) Das Syrische kennt zwei Namen für Engel, die „Wachenden" oder „Wächter", also die, die niemals schlafen, und den aus der Bibel entlehnten Namen für „Boten". Beide Worte werden synonym verwendet und bezeichnen keine bestimmten Arten von Engel. Da aber die Bezeichnung „die Wachenden" für das Syrische eigentümlich ist, werden in der vorliegenden Übersetzung „Engelswächter" von „Engelsboten" unterschieden. Dies darf aber nicht zum Mißverständnis führen, daß es sich hierbei um verschiedene Engel handelt. Zu den syrischen Namen für Engel vgl. Winfrid Cramer, Die Engelvorstellungen bei Ephräm dem Syrer, Orientalia Christiana Analecta 173, Rom 1965.
[9]) Wortspiel im Syrischen.
[10]) Vgl. Ps. 65,10; Prov. 17,3; Sir. 2,5; 1. Petr. 1,7.
[11]) Vgl. Ps. 25,12.
[12]) Vgl. Ps. 42,5.
[13]) Vgl. Ps. 42,1.
[14]) Dreißig Jahre stand Simeon auf der hohen Säule von vierzig Ellen als Zeit der Reifung und der Läuterung. Die zehn Jahre sind hier das Maß der Vorbereitung. Sie werden in der syrischen Vita doppelt und mit den Zahlen drei und sieben ineinander verflochten genannt: Zehn Jahre stand Simeon in der Ecke der Umfriedung vor seinem Aufstieg auf die Säulen. Nach sieben Jahren wurde ihm das Maß von vierzig Ruten abgemessen. Danach stand er noch drei Jahre in der Ecke der Umfriedung, anschließend sieben Jahre auf drei kleinen Säulen und stieg dann auf die letzte Säule auf. Vgl. hierzu S. 47–51.
[15]) Ex. 24,18; 34,28.
[16]) III. Kön. 19,8.
[17]) Ex. 34,29. Im Gegensatz zur Septuaginta und zur syrischen Bibelübersetzung Peschitta, die richtig „strahlend", „leuchtend" lesen, übersetzt die Vulgata das Hebräische qaran mit „cornutus", „gehörnt".
[18]) IV. Kön. 2,11.
[19]) Wörtlich „Pupillen". Nach einer alten, bereits im pharaonischen

Ägypten und im Zweistromland belegten Vorstellung fließen die Tränen durch die Pupillenöffnung aus dem Augeninneren.

20) Vgl. Theodoret H. R. cap. 22 (Lietzmann, S. 16, PG 82, Sp. 1481): „An den allgemeinen Festtagen zeigt er (Simeon) ein weiteres Zeichen der Standhaftigkeit. Nach dem Untergang der Sonne steht er, bis sie im östlichen Horizont wiedererscheint, die ganze Nacht über, indem er die Hände zum Himmel ausstreckt, ohne daß er vom Schlaf überwältigt oder von der Mühe besiegt wird". Während die Hände von Moses nach Ex. 17,11–12 von Aaron und Hur gestützt werden müssen, damit Israel über Amalek siegt, steht Simeon als Bild des erlösten Gottesvolkes in der Kraft des neuen Bundes während der Zeit der Dunkelheit zwischen dem Weggang Christi, im Bild der untergehenden Sonne, und seiner Wiederkunft allein mit zum Himmel erhobenen Händen auf der Höhe der Säule.

21) Wortspiel im Syrischen zwischen ṣajorō „Maler" und sajoḏō „Jäger".

22) Moses, vgl. Num. 27,12–17 und Deut. 32,49–52.

23) Die biblischen Berichte über Ezechias enthalten keinen Hinweis auf eine Abschiedsrede des Königs (vgl. IV. Kön. 18–20; II. Chron. 29–32; Is. 36–39). Demgegenüber kann sie für die patristische Exegese der Ezechiasgeschichte angenommen werden, wie sie am deutlichsten bei Cosmas Indicopleustes, Topographia christiana lib. VIII, 4–14, SC 197, S. 172–184, wiedergegeben ist: Ezechias glaubte, insbesondere nach seinem wunderbaren Sieg über die Assyrer, daß sich die Prophezeiungen über den Messias an ihm erfüllt hätten. Deshalb hielt er sich für unsterblich und wollte keine Nachkommenschaft zeugen, denn die Juden glaubten, „daß der Messias, wenn er einmal gekommen sei, niemals sterben würde". Um diese Meinung zu zerstören, ließ ihm Gott seinen bevorstehenden Tod durch Isaias verkünden: „Bestell dein Haus, denn du wirst sterben und wirst nicht mehr leben!" Ezechias wird daraufhin todkrank, schwört in seinem Klagelied seinen Messiasvorstellungen ab und verspricht Gott, eine Frau zu nehmen, Kinder zu zeugen und diese in den Geboten Gottes zu unterweisen. Er bekommt noch eine Lebenszeit von 15 Jahren und zeugt seinen Sohn Manasse. Auch Kyrill von Alexandrien, In Isaiam lib. III, tom. IV zu Is. 38,18–20, PG 70, Sp. 792, deutet diese Exegese als die Meinung einiger an, „die ihren Sinn auf die verborgensten Dinge richten".

24) Dan. 8,15–20; 9,21–27; 10,5–12,13.

25) Vgl. Matth. 25,14–30; Luk. 19,11–27.

26) Luk. 10,20 ff.

27) Vgl. Anm. 8.

28) Israel, das alte Gottesvolk.

29) Ex. 32,4.

30) Vgl. Anm. 19.

31) Vgl. Ps. 4,4.

32) Vgl. Dan. 10,9–21.

33) Vgl. Matth. 26,31; Mark. 14,27; Joh. 10,27.

Verzeichnis der Abkürzungen

A	Siehe Assemanus.
Acta Sanctorum	Acta Sanctorum Januarius Tomus I, hsg. von Jean Bolland, Antwerpen 1643.
Assemanus	Stephanus Evodius Assemanus, Acta Sanctorum martyrum orientalium et occidentalium Pars II, Rom 1748.
B	Siehe Bedjan.
Bedjan	Paul Bedjan, Acta martyrum et sanctorum, Tomus IV, Leipzig und Paris 1894.
Bidez-Parmentier	The ecclesiastical History of Evagrius with the Scholia edited with introduction, critical notes and indices by J. Bidez and L. Parmentier, London 1898.
BKV	Bibliothek der Kirchenväter, 2. Ausgabe hsg. von O. Bardenhewer, Th. Schermann, C. Weyman und J. Zellinger, 83 Bde, Kempten 1911 ff.
Butler	Howard Crosby Butler, Syria, Publications of the Princeton University Archeological Expeditions to Syria in 1904–5 and 1909, Division II Architecture, Section B Northern Syria, Leiden 1920.
CC	Corpus Christianorum, Series Latina, Turnhout 1953 ff.
CSEL	Corpus scriptorum ecclesiasticorum latinorum, Wien 1866 ff.
CSCO	Corpus scriptorum christianorum orientalium, Paris und Löwen 1903 ff.
Delehaye	Hippolyte Delehaye, Les saints stylites, Subsidia Hagiographica 14, Brüssel und Paris 1923.
Festugière	André-Jean Festugière, Antioche paienne et chrétienne, Libanius, Chrysostome et les moines de Syrie, Bibliothèque des Écoles Françaises d'Athènes et de Rome Fasc. 194, Paris 1959.
Funk	Franz Xaver Funk, Die Apostolischen Väter. Neubearbeitung der Funkschen Ausgabe von Karl Bihlmeyer, Erster Teil, Tübingen 1956.
H. R.	Theodoret, Historia Religiosa.
Krencker	Daniel Krencker, Die Wallfahrtskirche des Simeon Stylites in Kal^{c}at Sim^{c}ân, Abhandlungen der

Preußischen Akademie der Wissenschaften, phil.-hist. Klasse, Jahrgang 1938 Nr. 4, Berlin 1939.

Lassus — Jean Lassus, Sanctuaires Chrétiens de Syrie, Institut Français d'Archéologie de Beyrouth, Bibliothèque Archéologique et Historique Tome XLII, Paris 1947.

Lietzmann — Hans Lietzmann, Das Leben des heiligen Symeon Stylites mit einer deutschen Übersetzung der syrischen Lebensbeschreibung und der Briefe von Heinrich Hilgenfeld, Texte und Untersuchungen zur Geschichte der altchristlichen Literatur Bd. 32, Heft 4, Leipzig 1908.

LThK^{1} — Lexikon für Theologie und Kirche, 1. Auflage, hsg. von M. Buchberger, Freiburg 1930–1938.

LThK^{2} — Lexikon für Theologie und Kirche, 2. Auflage, hsg. von J. Höfer und K. Rahner, Freiburg 1957–1967.

MGH — Monumenta Germaniae Historica.

Peeters — Paul Peeters, S. Syméon Stylite et ses premiers Biographes, Analecta Bollandiana 61 (1943), S. 29–71.

PG — Patrologia Graeca, hsg. von J. P. Migne, 161 Bde, Paris 1857–66.

PL — Patrologia Latina, hsg. von J. P. Migne, 217 Bde und 4 Reg. Bde. Paris 1844–1890.

SC — Sources Chrétiennes, hsg. von H. de Lubac und J. Daniélou, Paris 1941 ff.

RAC — Reallexikon für Antike und Christentum, hsg. von Th. Klauser, Stuttgart 1941 (1950) ff.

Tchalenko — Georges Tchalenko, Villages antiques de la Syrie du Nord, Bd. I–II, Institut Français d'Archéologie de Beyrouth, Bibliothèque Archéologique et Historique Tome L, Paris 1953.

Vööbus (1960) — Arthur Vööbus, History of Ascetism in the Syrian Orient, Bd. II: Early Monasticism in Mesopotamia and Syria. CSCO Vol. 197 = Subs. 17, Löwen 1960.

Vööbus (1973/1) — Arthur Vööbus, Handschriftliche Überlieferung der Memre-Dichtung des Ja^{c}qob von Sarug, Bd. I: Sammlungen: die Handschriften, CSCO Vol. 344 = Subs. 39, Löwen 1973.

Vööbus (1973/2) — Siehe Vööbus (1973/1), Bd. II: Sammlungen: der Bestand. CSCO Vol. 345 = Subs. 40, Löwen 1973.

Quellen- und Literaturverzeichnis

Acta Sanctorum Januarius Tomus I, hsg. von Jean Bolland, Antwerpen 1643.

Ambrosius von Mailand, De paradiso, CSEL 32,1, S. 265–336; PL 14, Sp. 275–314.

—–, Explanatio psalmorum XII, CSEL 64 = Enarrationes in XII psalmos Davidicos, PL 14, Sp. 921–1180.

—–, Expositio Evangelii secundum Lucam, CC 14, S. 1–400; CSEL 32,4; PL 15, Sp. 1527–1850.

Anastasius Sinaita, Im Hexaemeron, PG 89, Sp. 851–1076.

Antonius, Das Leben des hl. Simeon Stylites, ed. Lietzmann S. 21–78; ed. Heribert Rosweyde, Vitae patrum, Antwerpen 1615 und öfters, zuletzt PL 73, Sp. 325–338; ed. Acta Sanctorum, Jan. Tom. I, S. 261–274.

Assemanus, Stephan Evodius, siehe Abkürzungsverzeichnis.

Athanasius von Alexandrien, Vita et conversatio S.p.n. Antonii, PG 26, Sp. 835–978.

Augustinus, Aurelius, Confessionum libri XIII, CSEL 33; PL 32, Sp. 659–868. = Confessiones-Bekenntnisse, Lateinisch und Deutsch, eingel., übers. und erl. von Joseph Bernhardt, 3. Aufl. München 1966.

—–, De civitate Dei, CC 47–48; PL 41, Sp. 13–804.

—–, Enarrationes in psalmos, CC 38–40; PL 36–37.

—–, Epistula XXXVI ad Casulanum, CSEL 34,2, S. 31–62; PL 33, Sp. 136–151.

—–, Sermo VIII, In octava Paschatis, PL 46, Sp. 838–841.

—–, Tractatus in Iohannis Evangelium, CC 36; PL 35, Sp. 1379–1976.

—–, Pseudo-Augustinus, Sermo de Quarta Feria sive de cultura agri Dominici, PL 40, Sp. 685–694.

Beda Venerabilis, Explanatio Apocalypsis, PL 93, Sp. 129–206.

Bedjan, Paul, siehe Abkürzungsverzeichnis.

Brockelmann, Carl, Syrische Grammatik, 11. unveränderte Auflage, Leipzig 1968.

Butler, Howard Crosby, siehe Abkürzungsverzeichnis.

Caesarius von Arles, Sermo XXV, De misericordia divina et humana, CC 103, S. 111–114.

Cassianus, Johannes, Conlationes XXIV, CSEL 13.

Cassiodorus, Flavius Magnus Aurelius, Expositio psalmorum, CC 97–98.

Cosmas Indicopleustes, Topographia Christiana, SC 141, 159, 197.

Columbanus, Opera, ed. G. S. M. Walker, Scriptores Latini Hiberniae Vol. II, Dublin 1970.

Cramer, Winfrid, Die Engelvorstellungen bei Ephräm dem Syrer, Orientalia Christiana Analecta 173, Rom 1965.

Daniel Stylites, Vita, ed. Delehaye S. 1–174.

Delehaye, Hippolyte, siehe Abkürzungsverzeichnis.

Didache, ed. Funk S. 1–9.

Dionysios Areopagita (Pseudo-Dionysios), De Mystica Theologia, PG 3, Sp. 1013–1064.

Dölger, Franz Joseph, Zur Symbolik des altchristlichen Taufhauses. Das Oktogon und die Symbolik der Achtzahl. Die Inschrift des hl. Ambrosius im Baptisterium der Theklakirche von Mailand. In: Antike und Christentum Band IV, Münster 1934, S. 153–187.

Du Cange, Charles du Fresne Sieur, Glossarium ad scriptores mediae et infimae Graecitatis, Lyon 1688. Reprint Graz 1958.

Durandus der Ältere, Wilhelm, Rationale divinorum officiorum, verschiedenste Auflagen und Erscheinungsorte. Englische Teilübersetzung: Gulielmus Duranti, The symbolism of churches and church ornaments with introduction, essay, notes and illustrations by John Mason Neale and Benjamin Webb, New York 1973.

Elbern, Victor H., Eine frühbyzantinische Reliefdarstellung des älteren Symeon Stylites, in: Jahrbuch des Deutschen Archäologischen Instituts 80 (1965), S. 280–304.

Eusebius von Caesarea, Kirchengeschichte. Griechischer Text: Die Griechischen Christlichen Schriftsteller der ersten drei Jahrhunderte, Band 9 = Abt. 5, II, 1–3, Leipzig 1903–1909. Deutsche Übersetzung nach diesem Text herausgegeben und eingeleitet von Heinrich Kraft, München 1967.

Eustathios von Thessalonike, Oratio ad Stylitam quemdam Thessalonicensem, PG 136, Sp. 217–264.

Ephraem Syrus, In Genesim et in Exodum commentarii, CSCO 152 = Syr. 71 (Textus) und CSCO 153 = Syr. 72 (Versio).

——, Hymnen de Epiphania, CSCO 186 = Syr. 82 (Textus), CSCO 187 = Syr. 83 (Versio).

Evagrius Scholasticus, De sancto Symeone Stylita, Historiae ecclesiasticae lib. I, cap. XIII und XIV, ed. Bidez-Parmentier S. 20–25; PG 86,2, Sp. 2453–2462.

Evdokimov, Paul, Le Christ dans la pensée russe, Paris 1970. Deutsche Übersetzung: Christus im russischen Denken, Sophia Band 12, Trier 1977.

Festugière, André-Jean, siehe Abkürzungsverzeichnis.

——, siehe Historia monachorum in Aegypto.

Genovefa: Vita Genovefae virginis Parisiensis, MGH Scriptores rerum Merovingicarum Tom III, S. 204–238.

Gregor von Tours, Historiarum libri decem, Zehn Bücher Geschichten, hsg. und übers. von Rudolf Buchner. Ausgewählte Quellen zur deutschen Geschichte des Mittelalters. Freiherr vom Stein-Gedächtnisausgabe Band II und III, 4. durchgesehene und berichtigte Auflage, Darmstadt 1970.

——, Liber in Gloria Confessorum, MGH Scriptores rerum Merovingicarum Tom. I, S. 744–820; PL 71, Sp. 827–912.

Hermas: Der Hirt des Hermas hsg. von Molly Whittaker. Die griechischen christlichen Schriftsteller der ersten Jahrhunderte Band 48 = Abt. 18, I, Berlin 1956.

Hieronymus, Sophronius Eusebius, Vita sancti Pauli primi eremitae, PL 23, Sp. 17–30.

Historia monachorum in Aegypto, Edition critique du texte grec et traduction annotée par André-Jean Festugière, Subsidia Hagiographica 53, Brüssel 1971.

Honorius Augustodunensis, Libellus octo quaestionum, De angelis et homine, PL 172, Sp. 1183–1192.

Itinerarium Pseudo-Antonini Placentini, CC 125, S. 126–174.

Jakob von Sarug, Rede über den heiligen Mar Simeon den Säulensteher, ed. Assemanus S. 230–244; ed. Bedjan S. 650–665 = Carl Brockelmann, Syrische Grammatik, Chrestomatie S. 102–122.

Johannes Chrysostomus, Huit Catéchèses baptismales, SC 50 bis.

Johannes Climacus, Scala paradisi, PG 88, Sp. 632–1208.

Kötting, Bernhard, Peregrinatio Religiosa. Forschungen zur Volkskunde Heft 33–35. Regensburg und Münster 1950.

Krencker, Daniel, siehe Abkürzungsverzeichnis.

Kyrill von Alexandrien, Commentarius in Isaiam prophetan, PG 70, Sp. 9–1450.

Lacarrière, Jacques, Die Gott-Trunkenen, Wiesbaden 1967.

Lampe, G. H. W., A greec patristic Lexicon, Oxford 1961–1968.

Landersdorfer, P. S., Ausgewählte Schriften der syrischen Dichter, BKV Band 6.

Lassus, Jean, siehe Abkürzungsverzeichnis.

Lexikon für Theologie und Kirche siehe Abkürzungsverzeichnis unter LThK[1] und LThK[2].

Lietzmann, Hans, siehe Abkürzungsverzeichnis.

Malingrey, Anne-Marie, „Philosophia". Etude d'un groupe de mots dans la littérature grecque, des Présocratiques au IVe siècle après J.-C. Etudes et Commentaires XL. Paris 1961.

Maximus von Turin, Sermo XXIX, De psalmo XXI et de passione Domini, CC 23, S. 112–115.

Nöldeke, Theodor, Orientalische Skizzen, Berlin 1892.

Nyssen, Wilhelm, Heiliges Köln. Wallfahrten zu den Heiltümern der Frühzeit. Köln 1974.

—, Zum Werk des Bildhauers Josef Rikus. In: Josef Rikus Skulpturen, Paderborn 1973, S. 101–105.

—, Das Zeugnis des Bildes im frühen Byzanz, Sophia Band 2, Freiburg 1962.

Oden Salomos, Die, hsg. von Walter Bauer, Kleine Texte für Vorlesungen und Übungen Band 64, Berlin 1933.

—, The Odes of Salomon, edited and translated by James Hamilton Charlesworth, Oxford 1973.

Peeter, Paul, siehe Abkürzungsverzeichnis.

Rabbula Gospels, The, Facsimile Edition of the Miniatures of the Syriac Manuscript Plut. I,56 in the Medicean – Laurentian Library, edited and commented by Carlo Cecchelli, Giuseppe Furlani and Mario Salmi, Olten und Lausanne 1959.

Rahner, Hugo, Symbole der Kirche. Die Ekklesiologie der Väter. Salzburg 1964.

Reallexikon für Antike und Christentum siehe Abkürzungsverzeichnis unter RAC.

Rosweyde, Heribert, Vitae patrum, Antwerpen 1615 und öfters, zuletzt abgeduckt in PL 73–74.

Schamoni, Wilhelm, Ausbreiter des Glaubens im Altertum. Heilige der ungeteilten Christenheit. Düsseldorf 1963.

Siege des Mar Simeon des Säulenstehers = syrische Lebensbeschreibung des hl. Simeon Stylites des Älteren, ed. Assemanus S. 268–398; ed. Bedjan S. 507–649; deutsche Übersetzung von Heinrich Hilgenfeld bei Lietzmann S. 80–180.

Symeon Metaphrastes, Vita S. Symeonis Stylitae, PG 114, Sp. 335–392.

Tchalenko, Georges, siehe Abkürzungsverzeichnis.

Theodoret von Kyrrhos, Religiosa Historia seu ascetica vivendi ratio, PG 82, Sp. 1283–1496; deutsche Übersetzung der gesamten Mönchsgeschichte in BKV Band 28,1; beste kritische Ausgabe von cap. 26, Symeones, bei Lietzmann S. 1–18.

Van den Ven, P., La vie ancienne de S. Syméon Stylite le Jeune, Subsidia 32, Teil I (Einführung und griechischer Text), Brüssel 1962, Teil II (Übersetzung und Kommentar), Brüssel 1970.

Vööbus, Arthur, siehe Abkürzungsverzeichnis.

Weiß, Konrad, Die Löwin. In: Prosadichtungen, München 1948, S. 9–25.

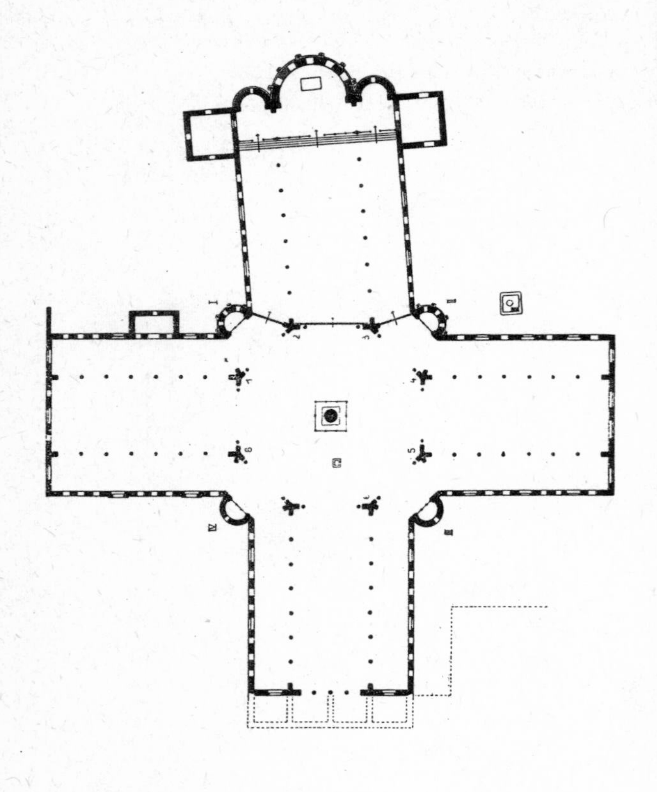

Abb. 1

Grundriß des Simeonheiligtums Qal^{c}at Sim^{c}an nach Krencker.

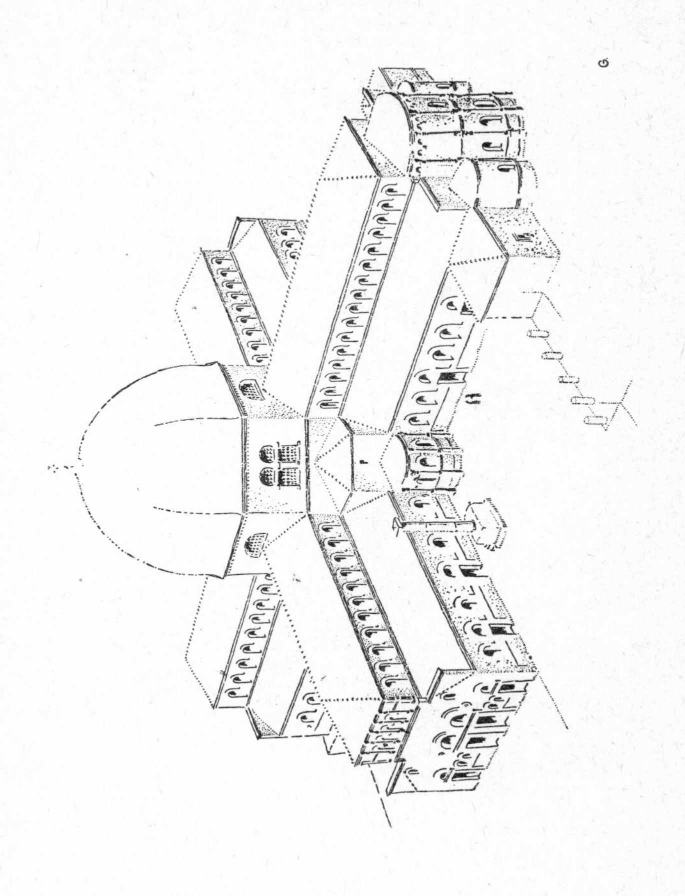

Abb. 2

Rekonstruktion des Simeonheiligtums Qal^{c}at Sim^{c}an nach Krencker.

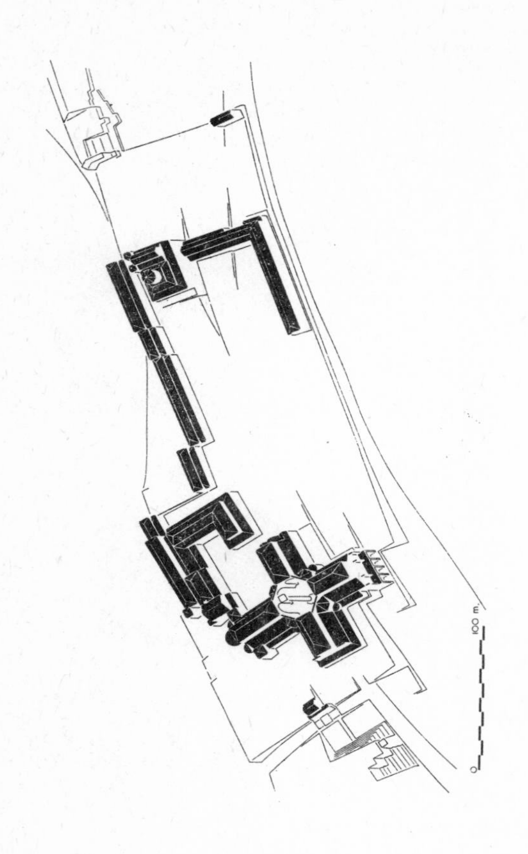

Abb. 3

Rekonstruktion des Simeonheiligtums Qal^c^at Sim^c^an zur Zeit von Evagrius Scholasticus nach Tchalenko.

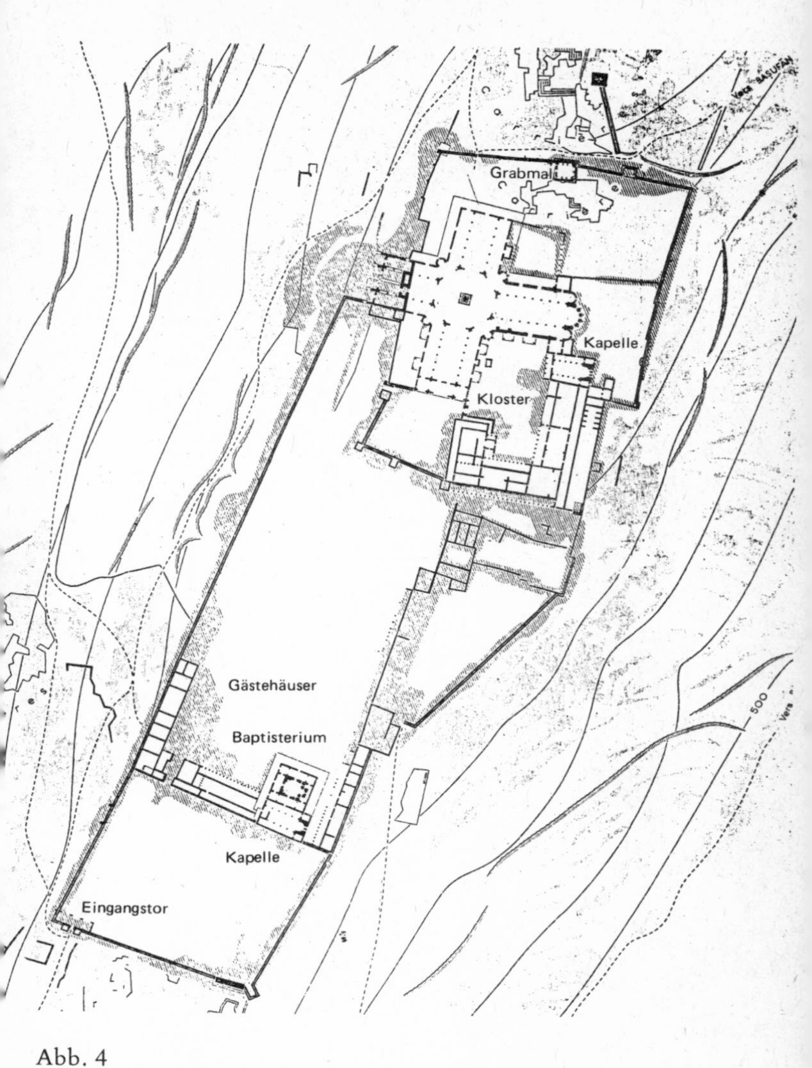

Abb. 4

Grundriß des Simeonheiligtums Qal^c^at Sim^c^an mit Nebengebäuden nach Tchalenko.

Taf. 1: Basaltstele des heiligen Simeon Stylites. 492 n. Chr. Paris, Louvre, Section des Antiquités Chrétiennes.
Foto: M. Chuzzeville

Taf. 2: Evangeliar des Rabbula fol. 13 a. 586 n. Chr. Bibliotheca Medicea-Laurentiana Florenz.

Taf. 3: Basaltrelief des heiligen Simeon Stylites. 6. Jh. n. Chr. Staatliche Museen Preußischer Kulturbesitz, Frühchristlich-byzantinische Abteilung, Berlin.

Taf. 4: Psalterium et Breviarium graeco-latinum, fol. 47 b. Kupferstichkabinett Berlin, Inv. Nr. 78 A 9. 13. Jh.

ΛΟΓΙΝΟϹ